DATE DUE			

Collection dirigée par le professeur Roger Brunet,
assisté de Suzanne Agnely et Henri Serres-Cousiné.

©. *Librairie Larousse. Dépôt légal 1978 - 1ᵉʳ - Nᵒ de série Éditeur 8413*
Imprimé en France par l'imprimerie Jean Didier (Printed in France).
Librairie Larousse (Canada) limitée, propriétaire pour le Canada
des droits d'auteur et des marques de commerce Larousse.
Distributeur exclusif pour le Canada : les Éditions françaises Inc.,
licencié quant aux droits d'auteur et usager inscrit des marques pour le Canada.

Iconographie : tous droits réservés à A. D. A. G. P. et S. P. A. D. E. M.
pour les œuvres artistiques de leurs adhérents,
ISBN 2-03-013931-9

beautés de la France

LA NORMANDIE

Librairie Larousse
17, rue du Montparnasse, 75006 Paris.

Sommaire

Dans chaque chapitre figure une carte originale de Roger Brunet.

Les numéros entre parenthèses renvoient aux folios placés en bas de page avec les titres abrégés des chapitres (1. Château-Gaillard — 2. Manoirs normands — 3. Normandie des monts et des bois — 4. Églises et abbayes normandes — 5. Mont-Saint-Michel — 6. Côtes Fleurie et de Nacre — 7. Rivage du pays de Caux — 8. Rouen).

1. Les forteresses de la frontière normande

rédigé par Gérald Pechmèze

Le reportage photographique a été réalisé par **Jean-Antoine Franchiset-Explorer,** à l'exception de la photo : p. 12, E. Berne-Fotogram.

2. Les manoirs normands

rédigé par Pierre Minvielle

Le reportage photographique a été réalisé par **Alain Dagbert-Viva,** à l'exception des photos : pp. 2-3, Chadefaux-Top; pp. 7, 15 (haut), R. Mazin-Cedri.

3. La Normandie des monts et des bois

Le reportage photographique a été réalisé par **Robert Tixador-Top.**

Notre couverture :
Vergers et maison normande

Photo : de Sazo-Rapho

Le reportage photographique a été réalisé par
Pierre Boulat-Sipa Press,
à l'exception des photos :
pp. 2, 13 (haut), Hinous-Top;
pp. 2-3 (haut), Berne-Fotogram;
pp. 6, 7, 8, Mazin-Cedri;
p. 16 (haut), Giraudon.

Le reportage photographique a été réalisé par
Gérard Loucel-Fotogram,
à l'exception des photos :
p. 18, A. Joly;
p. 19 (haut), F. Peuriot-Pitch;
p. 19 (bas), Vals-Paris-Match;
p. 20, M. Guillou-C.-D. Tétrel.

Le reportage photographique a été réalisé par
Hug-Explorer,
à l'exception des photos :
pp. 1, 2-3, 14 (haut), 16, 17 (bas),
Mazin-Cedri;

pp. 6-7, P. Tétrel;
pp. 14-15 (bas), Travert-C.-D. Tétrel;
p. 15 (haut), Boulat-Sipa Press.

7. Rivage du pays de Caux

Le reportage photographique a été
réalisé par
**André Édouard-Studio des Grands
Augustins,**
à l'exception des photos :
p. 12, Bénard-Top;
p. 15 (bas), G. Wilander;
pp. 16-17 (bas), Hinous-Top;
p. 18 (haut), P. Tétrel.

8. Rouen, ville-musée de la Normandie

Le reportage photographique a été
réalisé par
Rosine Mazin-Cedri,
à l'exception de la photo :
p. 13 (haut), Nahmias-Top.

Re-voir la Normandie

*L*A NORMANDIE *est sans doute l'une des provinces françaises les plus assurées dans ses stéréotypes, l'une de celles dont la représentation est la plus figée et la plus convenue : son image n'est-elle-pas d'herbe, et de pluie, et de vaches, et de colombages, de fromage et de « calva », de bonnes trognes fleuries à l'air matois, le tout vu par Maupassant?*

Il n'y a pas d'image sans sujet, si déformé soit-il; et pas de reflet sans trouble, si bon soit le miroir. La Normandie est ainsi, et n'est pas ainsi : « la Normandie mythique, avec son herbe naturelle, ses villages idylliques, ses paysans pleins de santé, montre de la réalité le contraire dans un passé déformé qui soulage des angoisses et des vertiges du présent », écrit Armand Frémont, qui mieux que personne sait écrire sur la Normandie.

En fait, parler des beautés de la Normandie est plus facile que de parler de la Normandie, si subtiles soient parfois ses beautés. Car on cerne mieux des paysages, des sites, ou des monuments, que la vie quotidienne, pour ne rien dire de l'âme. D'ailleurs, dans les pages qui suivent, on donne à voir plus qu'on ne parle : après tout, chacun peut bien observer et juger, à sa manière. Ici, et surtout à propos de la Normandie, on ne guide pas, on essaie de ne pas guider : à chacun de se faire une idée — ou des idées — tant cette province est de nuances, et doit se pénétrer faute de s'imposer.

Encore qu'elle ait, çà et là, de l'imposant : elle commence au Château-Gaillard et s'achève au Mont-Saint-Michel. Commence, dans le temps. S'achève, comme : se surpasse. Des racines au couronnement, par deux chefs-d'œuvre aux frontières de la province.

Prenons-la donc par ses racines : du côté de la Seine, par ces châteaux qui évoquent la conquête normande et l'assiette de la puissance des ducs. Vernon, déjà admirable en elle-même et par son environnement où ne sont pas seulement les nymphéas de Monet, et qui marque la limite historique, est un bon point de départ. De là, on remonte l'Epte célèbre, encore surveillée par de vieilles tours jusqu'au puissant bastion de Gisors. Ou bien l'on descend la Seine vers Les Andelys, deux villes et deux églises, qu'écrasent la masse du Château-Gaillard et la falaise de craie qu'a taillée le fleuve; c'est de là-haut qu'on se raconte Eudes, et Rollon, et Robert le Diable, et Richard Cœur de Lion, une épopée sur près de quatre siècles, dans un paysage qui n'incite pourtant qu'à la paix et à la sérénité. Vers l'ouest et le sud, une troisième vallée est proche : celle de l'Eure, elle aussi jalonnée de châteaux, mais plus récents et moins guerriers. Une assez bonne introduction, en quelque sorte, à la Normandie des manoirs.

Cheminant vers l'ouest, pour atteindre ces pays si verts qu'on nomme l'Auge, l'Ouche ou même le Perche, on entre dans la profondeur des bocages et des herbages. Là s'éparpillent des dizaines de manoirs, dont le charme tient moins à la discrétion qu'à la rusticité du matériau et à l'agencement un peu baroque de l'architecture. Ce ne sont que grosses demeures ou petits châteaux faits de colombages entremêlés ou de briques rouges égayées de pierres blanches, souvent ceints de larges douves envahies par les nénuphars, et foisonnant de tours carrées ou rondes aux chapeaux pointus, d'échauguettes et de lucarnes, dans l'aimable désordre qui vient des adjonctions successives d'orgueilleux hobereaux. Avec d'amples toits de tuiles petites et plates, dessinant parfois des écailles. Le tout dans de doux vallonnements couverts d'herbes et plantés de pommiers, comme sur les cartes postales. Aucun n'est absolument célèbre, et il faudrait les connaître tous, de Saint-Germain-de-Livet en habit d'arlequin, à Coupesarte où rien ne va droit et où même les briques ont été mises de travers — et ça tient!

Un peu plus loin encore, le bocage s'épaissit et s'accidente. On y parle même de Suisse, et d'Alpes! On a les montagnes que l'on peut. Mais les rochers sont parfois à vif, assez pour qu'on s'y entraîne à l'alpinisme. La vallée de l'Orne, là où commence le Massif armoricain, est de celles qui se visitent, et surprend à chaque détour. Plus au sud, à la limite du Maine, les hauteurs s'élèvent jusqu'à dépasser 400 m, et se couvrent de forêts. C'est là qu'a été créé le parc naturel régional de Normandie-Maine, sur près de 100 km de long. Alençon, Sées et Argentan sont tout au bord, et ramènent aux œuvres d'art.

Avec les manoirs, la Normandie se distingue par les abbayes, qui sont d'une bien ancienne tradition, puisque de très connues datent du VIIe, voire du VIe siècle — les Vikings ont eu de quoi piller. Les unes sont en plein bocage, vers le Cotentin. D'autres sont en ville : elles font la gloire architecturale de Caen. Les plus vénérables sont au bord de la Seine, où elles font semblant d'avoir été à l'écart du monde, des trafics et des bruits. Par les abbayes, richement dotées par les ducs normands qui avaient beaucoup à faire pardonner leurs ancêtres, s'élabora une façon de l'art roman. Églises et cathédrales y prirent des formes originales, tant dans la façade que dans les tours-lanternes qui donnaient de la lumière à la nef. Après avoir inventé l'art «gothique»... en Angleterre, les Normands se sont exprimés d'autre façon encore dans la débauche du flamboyant, dont Rouen garde des traces surprenantes. Le Mont-Saint-Michel résume, transcende et change toutes ces étapes en un seul lieu, en une réussite si exceptionnelle que, gagnant les foules d'admirateurs, il y perd d'autres attraits : à voir un jour de semaine, hors saison si possible... Il méritait bien qu'on lui consacrât un chapitre entier de ce volume!

Reste à terminer le tour de la Normandie par la côte : c'est une bien longue promenade, à vrai dire. De la baie du Mont-Saint-Michel, où alternent les plus fortes marées de France, au Tréport, qui marque à peu près la fin des hautes falaises de Caux, il y a plus de 550 km de rivages et 640 km de routes si l'on veut suivre la mer... De quoi changer plusieurs fois de paysages : rochers et petites plages éventées du Cotentin; longues plages du débarquement, de part et d'autre des marais de Carentan; chapelet des stations discrètes de la Côte de Nacre et des vedettes plus tapageuses de la Côte Fleurie, une banlieue de loisirs de Paris; minuscule mais superbe Côte de Grâce où Honfleur a gardé son charme; et, passé l'estuaire de la Seine, qui n'est pas fait pour la baignade, les hautes murailles à nu de la craie et du silex, gloire d'Étretat, et dont les échancrures abritent des ports actifs et d'agréables petites villégiatures.

En arrière, avec toute sa puissance et sa richesse, autant liée à la Normandie terrienne qu'à la Normandie maritime, la plus grande ville normande, la plus riche en œuvres d'art malgré les destructions : Rouen. Mais qui, à soi seule, avec son environnement de hauts coteaux et de forêts, son animation et ses brumes, est une Normandie à part, qui ne résume pas la province.

ROGER BRUNET

les forteresses
de la frontière normande

◄ *Du haut de son promontoire,
le donjon de La Roche-Guyon
semble surveiller la Seine.*

2. Château-Gaillard

*P*aisible, majestueuse,
la Seine ouvre en haute Normandie,
entre la mer et Paris,
une magnifique voie d'eau
dont les larges méandres
permirent jadis
aux Vikings venus du Nord
de faire pénétrer leurs drakkars
jusqu'au cœur
du royaume de France.

▲ *Au pied de Château-Gaillard,*
le Petit-Andely
et l'église Saint-Sauveur,
décapitée par la foudre en 1973.

Les Andelys : ▶
cette maison à colombage
évoque bien
la Normandie classique.

▲ *La haute silhouette*
de l'église Notre-Dame
et le donjon de l'ancien château,
au-dessus des toits de Vernon.

Durant des siècles,
rois de France
et souverains d'Angleterre,
alors ducs de Normandie,
se disputèrent âprement
le riche Vexin.

Dans la brume lumineuse ▶
qui monte de la Seine,
un verger aux Andelys.

*Pâturages à l'herbe grasse,
vergers et champs de blé,
cités industrieuses
et forêts giboyeuses
devinrent ainsi l'enjeu
de combats acharnés.*

◄ *Une maisonnette
perchée de guingois
sur les piles ruinées
du vieux pont de Vernon.*

*Gentilhommière ►
de la vallée de l'Eure,
le château Renaissance
de la Folletière.*

*Principales places fortes
de la frontière franco-normande,
Gisors et Château-Gaillard
étaient particulièrement convoitées.
Elles changèrent de mains
à plusieurs reprises,
et leurs puissantes fortifications
abritèrent alternativement
les Anglais et les Français.*

◄ *Toujours debout,
le donjon de Gisors
élevé par
l'occupant anglais.*

▲ *Devant la terrasse fleurie*
de la citadelle de Gisors,
l'église Saint-Gervais-et-Saint-Protais,
de style composite.

Encore imposantes, ▶
les ruines de Château-Gaillard
qui fut une des forteresses
les plus puissantes du Moyen Âge.

▲ *Du côté du plateau,*
un fossé profond défendait
les arrières de Château-Gaillard.

En aval de Paris, la Seine, régulière et paisible, se hâte vers son embouchure avec une sage lenteur. Et, comme si elle ne pouvait qu'à regret quitter les doux paysages de l'Île-de-France, elle allonge démesurément son parcours en fignolant ces immenses courbes qu'on appelle « méandres », ou encore « boucles » de la Seine.

Pourtant, un peu en amont de Vernon, en pénétrant en Normandie après avoir recueilli les eaux de l'Epte qui sépare le Vexin français du Vexin normand, le fleuve fait comme un effort et s'avance tout droit à travers les prés verts de sa plaine. À sa gauche, les flèches d'ardoise des clochers pointent au milieu des vergers, au pied de coteaux couronnés de bois touffus. À sa droite, le manteau de verdure de la forêt de Vernon, d'abord tout proche, s'écarte ensuite pour faire place à des champs d'où jaillit un menhir inattendu, le « gravier de Gargantua ».

Lorsque apparaît, sur la rive droite, la forêt des Andelys, la Seine, renouant avec ses habitudes, vire soudain et amorce le premier d'une nouvelle série de méandres. À l'extérieur des virages, on voit réapparaître la falaise crayeuse, abrupte, creusée de trous et bizarrement découpée, tandis que, sur la rive opposée, les cultures prospèrent sur les alluvions déposées par les eaux.

Un Normand pour se garder des Vikings

Ce fleuve majestueux, aux eaux tranquilles, c'est aussi la grande voie de communication entre la mer et Paris, une large avenue qui permit jadis aux Normands de pénétrer en plein cœur du petit royaume de France : aussi est-ce une frontière bien gardée qui, durant des siècles, après bien des incursions, en barre le cours.

Cette coupure, qu'on voit encore dans le paysage, date de l'automne 911, du jour où Charles le Simple, par le traité de Saint-Clair-sur-Epte, abandonne la Neustrie à un magnifique chef de guerre norvégien, Rollon, chef des Normands. La frontière est constituée par l'Epte au nord de la Seine, par l'Arve au sud.

« Sur cette frontière normande, il s'est versé autant de sang que sur la frontière de l'Est » (A. Luchaire). Après avoir copieusement guerroyé et pillé en Angleterre et en Frise, Rollon, succédant à nombre de ses compatriotes, découvre le doux pays de la basse Seine en 890. Le temps de défaire le comte de Bayeux et d'en épouser la fille, il met Lisieux à sac et se retrouve bientôt devant Paris, son premier échec. Replié sur Rouen, il est battu devant Chartres par Charles le Simple, qui en fait officiellement son vassal et lui concède le duché de Normandie en espérant mettre ainsi un terme à des décennies de ravages au long de la Seine.

La cérémonie est simple. Rollon s'engage à cesser de piller à droite et à gauche, et promet également de se faire baptiser. On compte surtout sur sa présence en basse Seine pour empêcher toute nouvelle incursion d'autres Vikings : le roi de France avait trouvé un portier des plus farouches... Rollon met ses mains entre celles de Charles le Simple, et le traité est conclu sur le tope là des maquignons, sans un mot écrit. Malgré cela, Rollon — devenu « Robert » par le baptême — respecte ses engagements sa vie durant. Mais rien n'empêche les actifs Normands de s'épancher hors de France. En 1066, Guillaume le Conquérant écrase les Anglo-Saxons du roi Harold, et les ducs de Normandie deviennent rois d'Angleterre : curieux vassaux, plus puissants que le roi de France et rois eux-mêmes. Alors, en hâte, on fortifie la frontière du Vexin. Des deux côtés. Il nous en reste Château-Gaillard et les sentinelles de La Roche-Guyon et de Gisors.

« Que voilà un château gaillard! »

Dans un des plus beaux sites de la vallée de la Seine, au confluent d'un ruisseau, le Gambon, dont la vallée entaille les collines de craie, se trouvent Les Andelys, autrefois composés de deux villages distincts, le Petit- et le Grand-Andely. Le premier est situé au bord du fleuve, dans la courbe d'un de ses larges méandres, face à la boucle de Bernières; le second, dans le vallon du ruisseau. C'est là que Richard Cœur de Lion, pour barrer la route de Rouen à Philippe Auguste, fit édifier, en 1196, l'une des plus belles citadelles de son temps. Satisfait de son œuvre, ou plutôt de celle de ses architectes, le roi se serait écrié : « Que voilà un château gaillard! » Le nom lui est resté.

Richard Cœur de Lion, duc de Normandie et roi d'Angleterre, est un homme de guerre puissant et courageux, mais peut-être pas aussi franc et loyal que son surnom pourrait le laisser supposer. À cette époque, il a trente-neuf ans. Son ambition : conserver la Normandie et, pourquoi pas? si l'occasion s'en présente, envahir la France.

En face de lui et de ses prétentions se dresse Philippe Auguste, trente et un ans, roi de France. Lui aussi est un soldat redoutable; de plus, c'est un homme politique avisé. Il entend agrandir son royaume et récupérer la Normandie.

Les deux hommes se connaissent bien. Philippe n'a-t-il pas jadis convaincu Richard de s'attaquer, avec son aide, à son propre père, Henri II Plantagenêt? Devenu roi d'Angleterre, Richard s'est révélé inquiétant. Les deux souverains ont pourtant participé ensemble à la 3e croisade, en 1190. Mais, agacé par le faste de l'Anglais, le Français, après avoir pris Saint-Jean-d'Acre, a regagné le premier ses foyers. Aussitôt rentré, il s'est empressé de faire courir les bruits les plus

Le siège de Château-Gaillard

Le chroniqueur Guillaume le Breton, qui fut le chapelain de Philippe Auguste, a laissé une relation circonstanciée des conditions dans lesquelles le roi de France s'empara de la citadelle, apparemment invulnérable, édifiée par les Normands.

Campant sur la rive gauche de la Seine, les Français s'attaquent d'abord à l'estacade qui barre le fleuve, et, grâce à de courageux nageurs travaillant sous la pluie de projectiles divers déversés sur eux par les défenseurs de Château-Gaillard, parviennent à la détruire. Aussitôt, le roi fait construire un pont de bateaux, et ses troupes passent sur la rive droite. Puis il fait élever, sur quatre grosses

embarcations, deux tours construites avec des troncs d'arbres liés par des chaînes. Elles fourniront à la fois un point de défense pour le pont et un moyen d'attaque contre le châtelet. Ces tours sont si hautes que, de leur sommet, les chevaliers peuvent faire pleuvoir leurs traits sur les murailles ennemies.

Jean sans Terre réagit vite. Il dépêche 300 chevaliers, 3 000 cavaliers et 4 000 fantassins en renfort, mais ceux-ci ne parviennent pas à déloger les Français.

C'est alors qu'un certain Galbert, très habile nageur, remplit des vases avec des charbons ardents, les ferme soigneusement, les enduit de bitume pour les rendre étanches et les fixe à sa taille avec une corde. Plongeant sous l'eau, il nage jusqu'aux palissades de bois qui enveloppent d'une double enceinte les murailles

du châtelet, et, sans avoir été vu, y met le feu.

Un joli vent aidant, l'incendie oblige la petite garnison du poste à se retirer. Philippe Auguste entre au Petit-Andely et occupe peu à peu les ouvrages annexes. Le siège du Château-Gaillard lui-même peut commencer. Les machines de guerre de l'époque étant impuissantes contre les fortifications, on élève devant la proue de ce cuirassé de pierre, depuis la Seine jusqu'au sommet de la falaise, une ligne continue de remparts et de tours de bois qui l'isolent complètement.

Pendant l'hiver 1203-1204, assiégeants et assiégés restent sur leurs positions. Mais les Anglais, Philippe Auguste ne l'ignore pas, disposent d'un an de vivres. Le roi de France fait donc creuser des tranchées sur le plateau qui domine

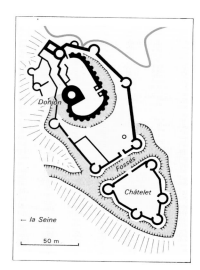

Entre la vallée de la Seine et la citadelle de Château-Gaillard, ▼ *une falaise de calcaire à pic.*

injurieux sur Richard et de comploter contre lui avec le frère du roi d'Angleterre, l'artificieux et perfide Jean sans Terre.

Lorsque Richard, sur le chemin du retour, est fait prisonnier par le duc Léopold d'Autriche — qu'il a mortellement offensé en Terre sainte en traînant son étendard dans la boue —, Philippe Auguste et

Jean sans Terre font discrètement comprendre au duc qu'il n'est pas urgent de remettre le captif en liberté...

Enfin libéré (au bout de deux ans et contre une énorme rançon), Richard, on le conçoit, rumine quelque rancœur et entretient une certaine méfiance envers son voisin français. Or, sa situation

la forteresse. Des deux côtés, on s'active, soit à défendre, soit à attaquer. Par un coup d'audace, les Français enlèvent la tour avancée de l'ouvrage amont (la proue du « cuirassé »). Restent la forteresse aval et son donjon.

L'histoire a conservé le nom de Bogis, le soldat qui remarqua la fenêtre des latrines construites l'année précédente par Jean sans Terre. Erreur fatale qui compromet toutes les précautions prises par Richard Cœur de Lion. Se ruant à l'intérieur du bâtiment, Bogis et ses compagnons parviennent dans la basse cour, entre les deux enceintes. Affolés, les assiégés croient se défendre en mettant le feu, mais celui-ci se communique vite à la première enceinte. Le point faible est trouvé. De pont en fossé, les assaillants submergent les

▲ *Dans la forteresse de Château-Gaillard, vestiges du logement du gouverneur, attenant au donjon.*

défenseurs, ce qui fera dire à Viollet-le-Duc que « les obstacles accumulés sur un petit espace devaient nuire aux défenseurs en les empêchant de se porter en masse sur le point attaqué. Richard avait abusé des retranchements... » ■

Tel le Phénix, Évreux renaît de ses cendres

Évreux est située au centre d'un amphithéâtre de collines, sur un affluent de l'Eure, l'Iton, qui se divise en trois bras pour mieux l'arroser. La municipalité a coquettement enjolivé l'un de ceux-ci de jardins fleuris, formant au cœur de la ville, au pied des vieux remparts gallo-romains, une agréable promenade à l'écart de la circulation.

stratégique en Normandie est mauvaise. Sur la rive gauche de la Seine, Philippe Auguste tient Vernon, Gaillon et Pacy-sur-Eure; sur la rive droite, Gisors. Si deux armées, ravitaillées par le fleuve, partent de ces bases, l'une par le nord, l'autre par le sud, l'une des deux, au moins, atteindra sûrement Rouen.

C'est pourquoi, en 1196, en dépit du traité qui interdit de fortifier le Petit-Andely, Richard décide d'édifier une forteresse sur le promontoire qui domine le village. Flanquée d'ouvrages (aujourd'hui disparus) dans la plaine de Bernières et au Petit-Andely même, elle interdira le ravitaillement par la Seine. Le roi rassemble 3 000 ouvriers, dirige lui-même les travaux, fait creuser le roc, dresse les plans des murailles et des tours, hâte les contremaîtres, et fait jaillir de terre, en un temps record, un ouvrage colossal, long de quelque 170 m sur 75 de large, qui se présente un peu comme un grand cuirassé, pansu et massif, du premier âge de la vapeur, dont la proue serait tournée vers Paris.

En 1198, ce nouveau travail d'Hercule est achevé. L'examinant sous tous ses angles, Richard, très satisfait, constate : « Qu'elle est belle, ma fille d'un an! » (En fait, la durée des travaux, variable selon les historiens, fut au moins de dix-huit mois, au plus de deux ans et demi, ce qui constituait déjà une performance.)

Philippe Auguste passe à l'attaque

On comprend que, de son côté, Philippe Auguste soit inquiet. Il veut examiner lui-même l'obstacle édifié sur son passage et se rend sur place. Écoutons le chroniqueur Silvestre Girard :

« Comme les personnes de la suite manifestaient leur admiration : « Je voudrais, dit le roi, que ce château fût tout entier de fer; il n'en tomberait pas moins sous mes coups, lui et la Normandie que je prétends réunir à mon domaine! »

À ce défi, Richard répond par une rodomontade du même tonneau : « De par la gorge de Dieu, je voudrais qu'il fût non pas de pierre, non pas de fer, mais de beurre. Et moi, je le défendrais contre lui et tous les siens! »

Malheureusement pour lui, le roi d'Angleterre ne devait pas combattre sur le chemin de ronde de son Château-Gaillard. En 1199, il est mortellement blessé par une flèche en assiégeant Chalus, en Limousin, et son frère Jean sans Terre lui succède.

En 1200, le nouveau souverain d'Angleterre répudie sa femme, Isabelle de Gloucester, pour épouser Isabelle d'Angoulême, promise à un Lusignan. Le fiancé délaissé en appelle à la justice de Philippe Auguste. Belle occasion pour le roi de France de faire prononcer la déchéance (pour ses fiefs français) de celui qui, en tant que duc de

Normandie, est son vassal. Il réussit à gagner à sa cause Arthur de Bretagne, et la Normandie anglaise est ainsi prise entre deux feux.

Au printemps de 1203, Philippe Auguste passe à l'attaque. Les ouvrages annexes de Château-Gaillard, mal défendus par des Normands trop peu nombreux, tombent vite. En août, la forteresse est assiégée tandis que, à l'ouest, les Bretons d'Arthur remontent du Mont-Saint-Michel jusqu'à Caen. Après un an de lutte, en dépit des renforts — d'ailleurs insuffisants — envoyés par Jean sans Terre, les Français finissent par l'emporter.

Le 6 mars 1204, Philippe Auguste est maître du château invincible de Richard Cœur de Lion, et Jean sans Terre ne songe plus qu'à évacuer la Normandie.

Où l'on se débarrasse d'une reine adultère

Voilà donc, après trois siècles, la Normandie redevenue française. Philippe Auguste fait restaurer Château-Gaillard où ses successeurs, Saint Louis, Philippe III le Hardi et Philippe le Bel, séjourneront volontiers. La forteresse est devenue résidence secondaire, mais, avant d'être détruite, elle connaîtra encore bien des aventures.

1314. Marguerite de Bourgogne, épouse du futur roi Louis X le Hutin, et sa cousine Blanche, convaincues d'adultère, sont jetées, tondues et vêtues de bure, dans deux cachots du château. Lorsque, devenu roi, Louis X songe à épouser Clémence de Hongrie, faute de pouvoir divorcer, il fait tout simplement supprimer l'épouse infidèle. C'est le sinistre Robert d'Artois qui se charge de la besogne et fait étrangler Marguerite par son valet Lormet, la veille de l'Ascension de l'an de grâce 1315.

Janvier 1418. Château-Gaillard est de nouveau assiégé. Par qui? Par l'Anglais, bien sûr! Henri V, prenant prétexte de la vieille querelle Armagnacs-Bourguignons, a lancé une armée de 30 000 hommes sur Rouen, pris la ville et poussé jusqu'aux Andelys. Après seize mois de résistance, à bout d'eau potable, les Français se rendent. Un an plus tard, La Hire, le compagnon de Jeanne d'Arc, reprend la forteresse. Pas pour longtemps, puisque six mois après les Anglais la réoccupent. En 1449, Charles VII l'assiège à son tour et l'enlève.

Le rôle historique du Château-Gaillard est terminé, si l'on excepte une petite figuration sous la Ligue. Au début du XVIIᵉ siècle, Château-Gaillard est démantelé sur l'ordre de Henri IV, et ses pierres servent, entre autres, à agrandir le château de Gaillon. Richelieu ayant parachevé cette entreprise de démolition en faisant décapiter le donjon, il faut aujourd'hui laisser parler son imagination pour se faire une idée, devant ces décombres pitoyables et superbes, de ce qu'était, au temps de sa splendeur, la forteresse de Richard Cœur de Lion.

Déjà importante au premier siècle de notre ère (on y a découvert de nombreux vestiges antiques, dont ceux d'un théâtre de 20 000 places), la cité fut incendiée à plusieurs reprises : d'abord par Henri Ier d'Angleterre, puis par Philippe Auguste, par Jean le Bon, par Charles V et, finalement, par les bombardements aériens des Allemands en 1940 et des Alliés en 1944. Mais, chaque fois, ses habitants la rebâtirent avec un courage et une patience inlassables.

Construite au XIe siècle, la cathédrale Notre-Dame a subi tous ces incendies, et elle fut si souvent restaurée qu'elle présente un assortiment de tous les styles architecturaux. Curieusement, ses éléments disparates se combinent harmonieusement pour former un ensemble qui ne manque pas d'élégance. La nef est du XIIe siècle, le chœur du XIIIe, les chapelles latérales du XIVe, la tour-lanterne et la chapelle de la Mère-de-Dieu du XVe, le portail sud du XVIe, et la tour nord, dite « le Gros-Pierre », du XVIIe. La flèche de plomb ajourée qui s'élevait à la croisée du transept, baptisée « tour d'Argent » tant elle brillait lorsque le cardinal Balue la fit édifier, a brûlé en 1940. Si la façade peut être considérée comme une des plus belles réalisations de la Renaissance française, c'est le portail nord, du plus pur style flamboyant, qui retient surtout l'attention. À l'intérieur, on remarque les magnifiques vitraux du chœur (XVe et XVIe siècles) et les clôtures en bois des chapelles du déambulatoire. Contre le flanc sud de la cathédrale s'élève l'ancien évêché, construit au XVe siècle, bel

▲ *La tour-lanterne octogonale de la cathédrale d'Évreux couronne la croisée du transept.*

Le porche gothique et la galerie Renaissance de l'église Notre-Dame,
▼ *au Grand-Andely.*

Une citadelle médiévale

La forteresse du Château-Gaillard est bâtie sur une colline allongée, dominant la Seine par une falaise presque à pic, au pied de laquelle il y a tout juste place pour quelques arbres et une tour en ruine qui communiquait, par un souterrain, avec le donjon. Le sommet du promontoire, d'où l'on découvre un magnifique panorama sur la Seine et ses îles, avec, à l'horizon, le château de Gaillon, est occupé par la citadelle. Celle-ci se compose de deux ensembles de constructions distincts, un ouvrage avancé, ou « châtelet », et le fort principal, autrefois réunis par un pont-levis.

Du châtelet, qui avait la forme d'un triangle, ne subsistent qu'un fragment de courtine et la tour placée à la pointe. Autrefois, le sommet de cette tour se trouvait à la hauteur du plateau voisin, dont elle est séparée par un fossé profond et abrupt, en partie artificiel, ce qui évitait toute possibilité d'attaque surprise du côté de la terre.

La forteresse proprement dite était grossièrement hexagonale, et une tour flanquait chacun de ses angles. Il ne reste rien des bâtiments qui occupaient la basse cour, entre la première et la deuxième enceinte, mais on sait qu'il s'y trouvait une chapelle, des logements et un puits qui atteignait probablement le niveau de la Seine, une centaine de mètres plus bas. Des fossés creusés dans le roc entourent la première enceinte, la « chemise » du donjon. C'est la mieux conservée. En forme d'ellipse, elle est composée d'une succession de bossages en demi-cercles, disposition que Richard Cœur de Lion avait probablement observée en Syrie. On y pénètre par une poterne.

Pièce maîtresse du fort, le donjon fait corps avec le rempart du côté qui domine le fleuve. C'est une tour ronde de 18 m de diamètre, présentant vers l'intérieur de l'enceinte, côté le plus vulnérable, un éperon saillant. Ses murs ont près de 5 m d'épaisseur à la base. Il comportait initialement trois étages, le dernier étant crénelé et probablement garni de mâchicoulis dont on pense distinguer les supports de pierre. À côté du donjon, le logement du gouverneur est toujours debout avec ses quatre pièces, sur deux étages.

Des caves voûtées, à gros piliers carrés, sont creusées dans le roc. La plupart prennent jour sur le fossé séparant les deux enceintes, mais l'une d'elles ouvre à l'extérieur, dans la falaise, au-dessus du Petit-Andely, formant un surprenant belvédère.

Au pied du fort, des églises

Au cœur du Grand-Andely, invisible depuis le château, l'église Notre-Dame a échappé au bombardement de la Luftwaffe qui, le 10 juin 1940, détruisit toute une rue de la ville. Heureusement, car

édifice gothique qui abrite maintenant le musée municipal.

La seconde église d'Évreux, Saint-Taurin, faisait partie d'une abbaye de Bénédictins aujourd'hui disparue. Construite au XIe siècle, elle a conservé quelques éléments romans, notamment le portail latéral et le gros œuvre des croisillons, mais tout le reste a été remanié à l'époque gothique et a subi ultérieurement de nombreuses modifications. La plus belle partie de l'église est le chœur, dans lequel est exposée la châsse de saint Taurin, premier évêque d'Évreux, qui vécut au IVe siècle. Réalisée en argent doré, enrichie de statuettes et d'émaux, elle ressemble à une maquette de la Sainte-Chapelle, et c'est probablement la plus belle pièce d'orfèvrerie que nous ait léguée le XIIIe siècle.

En se promenant dans la ville, on

À Louviers, ▲
les vieilles demeures
de la rue des Grands-Carreaux.

admirera encore le beffroi, ou « tour de l'Horloge », haut de 44 m, qui date du XVe siècle et que les bombardements ont miraculeusement épargné. Le cloître très simple de l'ancien couvent des Capucins ajoute un attrait supplémentaire au beau jardin public qui déploie ses frais ombrages et sa jolie roseraie au flanc d'un des coteaux qui ceinturent Évreux. ■

Louviers, « séjour printanier »

Louviers, à l'orée de sa belle forêt, est une ville si plaisante que l'Eure, sentant sa fin prochaine (son confluent avec la Seine est à quelques kilomètres de là), écarte les bras pour mieux l'étreindre. Séduits, les latinistes du Moyen Âge l'avaient baptisée *Locus veris*, ce qui signifie

Remaniée à plusieurs reprises,
la cathédrale d'Évreux
réunit cinq ordres d'architecture
▼ en un tout harmonieux.

c'est une des plus belles églises de Normandie. Édifiée entre le XIIIe et le XVIe siècle, elle comporte des éléments gothiques, mais l'ensemble, avec sa tour centrale, ses pilastres, ses frises et ses caryatides, la galerie de la façade, les sculptures du tympan, a une dominante nettement Renaissance. Cinquante-deux fenêtres, disposées symétriquement, éclairent trois nefs à travers d'intéressants vitraux du XVIe siècle.

Au bord de la Seine, au pied de la forteresse, le Petit-Andely a aussi son église, Saint-Sauveur, dont la forme est celle d'une croix grecque, c'est-à-dire une croix dont les branches sont d'égale longueur. On raconte que les mille spécialistes venus d'Angleterre pour participer à la construction du château s'étant plaints au roi Richard de l'absence de sanctuaire, celui-ci acquit, pour cent sous d'or, la maison d'un pêcheur et la leur offrit. Sur son emplacement, une fois la forteresse terminée, les ouvriers auraient édifié Saint-Sauveur. Cette jolie histoire a malheureusement peu de chances d'être exacte, car Château-Gaillard fut achevé en 1198, et la construction de l'église ne commença qu'en 1220, seize ans après que Philippe Auguste se fût emparé de la place.

On ne saurait quitter Les Andelys sans évoquer sainte Clotilde. La pieuse épouse de Clovis, qui y résida vers 514, y aurait, dit-on, opéré un miracle en changeant en vin l'eau très froide et un peu ferrugineuse de la fontaine qui porte aujourd'hui son nom, afin de récompenser des terrassiers occupés à construire un monastère. Le 2 juin, veille de la mort de la sainte, est toujours fêté aux Andelys par un pèlerinage et une procession.

Dans la rue Sainte-Clotilde, qui mène à la fontaine, une très ancienne maison normande à colombage abrite le musée Nicolas-Poussin, le plus célèbre enfant du pays. Malheureusement, ce musée ne conserve qu'une seule toile du maître : *Coriolan fléchi par les larmes de sa mère.*

Gaillon, une autre sentinelle de la Seine

En amont des Andelys, à l'endroit où la vallée s'élargit avant que la Seine ne vienne saper les falaises crayeuses du Roule et ne change de cap, s'élevait autrefois une autre sentinelle normande, celle de Gaillon. Plus modeste que Château-Gaillard, dont on voit, au loin, se profiler le donjon, elle remplit son rôle avec moins d'éclat. C'est seulement à partir de 1262 qu'elle entre dans la petite histoire, lorsque Saint Louis en fait don à l'archevêché de Rouen.

Au début du XVIe siècle, l'archevêque est le cardinal Georges d'Amboise, ministre de Louis XII. Ce prélat a participé à une expédition en Italie. Il en a rapporté le goût de l'art que la

« *séjour printanier* ». En 1197, Richard Cœur de Lion s'en dessaisit pourtant au profit de l'archevêque de Rouen, et la guerre de Cent Ans ainsi que les guerres de Religion lui firent subir bien des dommages. Ses derniers malheurs sont tout récents : les bombardements de 1940 détruisirent plus du tiers de ses habitations, dont la plupart des vieilles maisons à colombage qui étaient l'un de ses charmes.

Le plus beau monument de la ville a heureusement peu souffert. Construite au XIIIᵉ siècle sur un plan rectangulaire, l'église Notre-Dame fut remaniée deux cents ans plus tard et ornementée avec toute la luxuriance de l'art flamboyant alors en vogue. On en profita pour lui adjoindre une tour carrée, terminée par des pinacles, et une balustrade ajourée. Le flanc sud, le plus

Vitrail de Notre-Dame de Louviers : ▲
la procession des drapiers,
qui firent vivre la ville
pendant près de mille ans.

travaillé, offre un contraste saisissant avec la majesté dépouillée du chevet. Le porche, en particulier, est une véritable dentelle de pierre. Couronné d'une forêt de clochetons et de lanterneaux, hérissé de gargouilles, peuplé de statues, il compense par sa délicatesse ce que son exubérance pourrait avoir d'un peu excessif, et il constitue un authentique chef-d'œuvre du style gothique flamboyant.

Devant l'église, rue des Grands-Carreaux, il subsiste quelques maisons à pans de bois, mais presque tout le centre de la ville est rebâti à neuf. Derrière l'église, les ruines d'un couvent de pénitents dressent encore, au bord d'un bras de l'Eure aménagé en promenade, trois des côtés d'un joli cloître.

Le musée municipal est divisé en plusieurs sections, dont l'une est

→

Gaillon, délabré par la Révolution :
du somptueux palais Renaissance
du cardinal d'Amboise, il ne reste
▼ *que le pavillon d'entrée, à gauche.*

Renaissance va faire éclore en France et décide de transformer de fond en comble la vieille forteresse. Pour édifier un nouveau château sur les fondations du premier, il engage tour à tour les architectes et les sculpteurs les plus célèbres de son époque : G. Serrault, P. Valence, Pierre Delorme, Pierre Fain, Michel Colombe, Jean Juste. Au XVIIᵉ siècle, Jules Hardouin-Mansart et Le Nôtre prennent la relève. Résultat : un magnifique édifice à deux corps de bâtiment se faisant face et reliés par deux galeries.

Partiellement démoli après la Révolution, transformé en prison puis en caserne, le pauvre palais n'a pas conservé grand-chose de ses splendeurs passées : il n'en reste que le pavillon d'entrée et le rez-de-chaussée de l'une des ailes. Deux très belles pièces ont pourtant survécu. Hélas! elles ne sont plus à Gaillon, mais à Paris. Il s'agit de l'ancien portique intérieur, qui se trouve dans la cour de l'École des beaux-arts, et d'un *Saint Georges* de Colombe, qui est au Louvre.

consacrée à l'histoire du tissage, qui fut longtemps la principale activité de la ville. Des objets antiques, des tapisseries, quelques belles peintures et surtout une remarquable collection de céramiques anciennes méritent une visite prolongée.

La vallée de l'Eure

D'Ivry-la-Bataille à Louviers, le cours de l'Eure est à peu près parallèle à celui de la Seine, que la rivière rejoint un peu plus loin, à Pont-de-l'Arche. Sa vallée verdoyante, où les vaches ruminent paisiblement dans des prés à l'herbe grasse, entre des collines dénudées, n'a pas la majestueuse ampleur de celle du fleuve voisin, mais elle constitue une agréable promenade champêtre, parsemée de belles

▲ *L'automne entoure d'un tapis d'or la modeste église d'Ivry-la-Bataille, dont le portail maintenant muré est attribué à Philibert Delorme.*

demeures et de souvenirs du passé.

Ivry-la-Bataille, petite cité active qui se consacre aujourd'hui à l'industrie des matières plastiques et à la fabrication artisanale des instruments de musique, était autrefois une place forte. Occupée par Louis le Gros en 1119, enlevée par Philippe Auguste en 1193, elle fut reprise, deux siècles plus tard, par l'Anglais Talbot. Pourtant, elle ne doit son surnom à aucun de ces affrontements franco-anglais. La « bataille » est celle du 14 mars 1590, où Henri de Navarre défit les ligueurs du duc de Mayenne en lançant son célèbre : « Ralliez-vous à mon panache blanc! », avant de marcher sur Paris et de devenir Henri IV. On ignore pourquoi Napoléon se crut obligé de rappeler l'événement par un obélisque érigé à 7 km de là, à Épieds. Du gros

Vernon, point clef de la défense anglo-normande

Fondée au IXe siècle par Rollon, Vernon, l'un des points clefs de la ligne de défense anglo-normande sur la Seine, fut cédée en 1196 à Philippe Auguste par son seigneur, avec l'accord de Richard Cœur de Lion. Le roi d'Angleterre commit là une des fautes politiques qui facilitèrent la reconquête de la Normandie par la France.

La ville doit ses armes, ornées de trois bottes de cresson surmontées de trois fleurs de lys, à la gourmandise satisfaite de Saint Louis, qui venait volontiers se reposer (et manger de la salade) dans cette bourgade paisible, baignée par un fleuve nonchalant et encadrée de magnifiques forêts. Le site n'a pas changé, et la ville, ombragée de beaux tilleuls, est devenue un agréable centre de villégiature.

Des anciennes défenses édifiées par les Normands de part et d'autre du fleuve, il reste deux donjons, face à face. Sur la rive gauche, la « tour des Archives », haute de 22 m, est le seul vestige du château bâti en 1123 par Henri Ier d'Angleterre. Sur la rive droite, dans le faubourg de Vernonnet, le « château des Tourelles », flanqué de poivrières, s'élève dans un cadre charmant, au milieu des arbres. Entre les deux, un pont moderne franchit la Seine, offrant une très jolie vue sur le fleuve, parsemé d'îlots boisés, et sur les ruines d'un ancien pont.

Le plus bel édifice de la ville est l'élégante église Notre-Dame, dont la belle façade gothique est surmontée d'une rosace et de deux tourelles ajourées. Le porche sculpté du flanc nord est également gothique, comme la haute nef, mais le chœur a conservé de grandes arcades romanes. À côté de l'église et dans les rues avoisinantes, de jolies maisons à pans de bois datent du Moyen Âge.

Aux environs de la ville, le château de *Bizy*, construit au XVIIIe siècle, fut rasé puis reconstruit sous le Second Empire. Son parc rejoint la belle forêt de Bizy et ses sapins gigantesques. Sur la rive droite, au sommet de coteaux percés de carrières, la forêt de Vernon déploie ses 2 500 ha. On y monte par la côte Saint-Michel, dont le point de vue sur la ville et la vallée de la Seine est réputé.

À la frontière du Vexin français, La Roche-Guyon

Avant de parvenir à Vernon, la Seine, lovée comme un serpent autour de la forêt de Moisson, décrit un vaste méandre bordé de falaises curieusement découpées. C'est sur la rive droite de cette boucle, sur l'étroite bande de terre qui sépare le fleuve de la crête couronnée d'arbres, que se trouve La Roche-Guyon, dominée, comme Les Andelys, par un véritable nid d'aigle (mais perché beaucoup moins haut que Château-Gaillard).

Le rôle de cette forteresse? Toujours le même : barrer la route Paris-Rouen à la frontière du Vexin normand, mais du côté français cette fois. Construite à la fin du Xe siècle par un seigneur du nom de Guyon, rebâtie au XIIe, elle se composait de deux parties. Sur un éperon rocheux se dressait un donjon très puissant, entouré d'une double enceinte. Plus bas, tout près de la Seine (qui s'est sensiblement éloignée depuis), était situé le château proprement dit, relié à la cour intérieure du donjon par un escalier creusé dans le roc.

Viollet-le-Duc commente cette situation avec admiration : « Comment bloquer une forteresse qui possédait une issue souterraine très praticable communiquant avec une défense inférieure et une large rivière? Sous le rapport stratégique, la position de La Roche-Guyon était excellente. Deux ou trois mille hommes dans la presqu'île de Bonnières, et quatre ou cinq cents hommes dans le château et ses dépendances, s'appuyant mutuellement, quoique séparés par la Seine, pouvaient arrêter une armée considérable et paralyser ses mouvements sur l'une ou l'autre rive de la Seine. »

Cela n'empêcha pas la forteresse de changer de main bien souvent, au hasard des succès et des revers anglais ou français. Le donjon est toujours posté sur son piton, parmi les arbres, avec quelques vestiges de ses enceintes, mais le château du bas a disparu. Celui qui occupe maintenant sa place fut construit du XVIe au XVIIIe siècle. En 1584, Henri IV y fit en vain le siège de la gracieuse châtelaine d'alors, Antoinette de Pons, qu'il avait, avec quelque préméditation, nommée dame d'honneur à la Cour. Au lendemain d'une nuit passée inutilement sous son toit, le roi, frustré mais beau joueur, donna à la belle cette assurance : « Puisque dame d'honneur vous êtes, dame d'honneur vous resterez. »

En 1679, avec François de La Rochefoucauld, à la famille duquel il appartient encore, le château de La Roche-Guyon sembla acquérir une vocation littéraire. Le duc y rédigea ses *Maximes*, Lamartine ses *Méditations*, et Victor Hugo, Mgr Dupanloup et Montalembert y séjournèrent.

En 1944, La Roche-Guyon retrouva une place éphémère dans l'actualité guerrière. Après le débarquement des Alliés en Normandie, le maréchal Rommel y établit son quartier général. Comme mille ans plus tôt, son problème s'énonçait simplement : couper la route de Paris à un adversaire venant de Normandie.

Gisors, un château très choyé

L'Epte, dont les 101 km se terminent en amont de Vernon, après avoir arrosé le pays de Bray et le Vexin, ne semblait pas, par ses dimensions, appelée à jouer un rôle historique. Mais l'histoire en

château fort à triple enceinte du Moyen Âge, il ne reste que des ruines. L'église, du XVIe siècle, possède un beau portail Renaissance attribué à Philibert Delorme, et, comme beaucoup d'autres villes françaises, Ivry-la-Bataille a sa « maison de Henri IV ».

En suivant le cours de la rivière, on aperçoit dans un parc, se mirant dans l'Eure, le beau château bicolore de *la Folletière*, en brique et en pierre, qui date de l'époque de Henri IV. Puis on atteint *Pacy-sur-Eure* en saluant au passage le monument élevé à la mémoire d'Aristide Briand, qui avait une prédilection pour la région. La ville est justement fière de son église Saint-Aubin, du plus pur style gothique (début du XIIIe siècle).

Tout près de là, *Ménilles* a une jolie église Renaissance, dotée d'un

très beau portail aux vantaux sculptés. Le château date du milieu du XVIIe siècle, alors que celui de *Chambray*, un peu plus loin, remonte à Henri IV.

Encore dés églises anciennes à *Authouillet*, à *Écardenville* et à *La Croix-Saint-Leufroy*, dont le château carré, flanqué de pavillons d'angle et entouré de douves, abrita autrefois le prieur de l'abbaye de La Croix, aujourd'hui disparue.

Enfin, au confluent de l'Eure et de l'Iton, à *Acquigny*, une jolie demeure du XVIe siècle évoque, par sa grâce et son charme, la femme qui la fit édifier, Anne de Montmorency-Laval, veuve inconsolable de Louis de Silly. Attribuée au célèbre architecte Jacques Androuet Du Cerceau, elle a remplacé un château fort détruit pendant la guerre de Cent Ans. ■

Un pittoresque escalier de pierre ▲ mène de Chaumont-en-Vexin au portail Nord de son église.

Au pied du vieux donjon, le château de La Roche-Guyon où La Rochefoucauld composa ▼ quelques-unes de ses « Maximes ».

décida autrement le jour de l'an 911, où le traité de Saint-Clair-sur-Epte fit de ce modeste affluent de la Seine la frontière franco-normande. Bientôt, de Gisors à Baudemont, toute sa rive droite se hérissa de forteresses normandes, face aux châteaux français de la rive gauche, et, durant deux siècles, on se surveilla farouchement par-dessus les gras herbages et les frais ombrages de cette vallée verdoyante, qui incite pourtant davantage à la détente qu'à la guerre.

De toutes les places fortes édifiées par les Plantagenêts, une seule a conservé des vestiges importants de son passé militaire, la plus puissante, Gisors, au confluent de l'Epte et de deux autres ruisseaux,

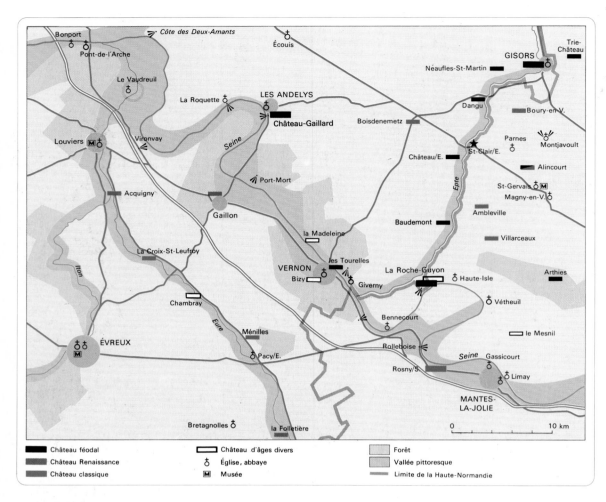

Les nymphéas de Claude Monet

Au bord de la Seine, en aval du confluent de l'Epte qui vient se jeter dans le fleuve par de multiples embouchures, un charmant petit village, *Giverny*, conserve pieusement le souvenir de Claude Monet (1840-1926), le maître paysagiste, qui y passa les trente-trois dernières années de sa vie et y mourut en pleine gloire, entouré de toute une colonie d'artistes attirés par le rayonnement de son génie. On y voit sa maison et surtout le célèbre jardin d'eau, planté de nymphéas (nénuphars), qu'il avait fait aménager. C'est là qu'il peignit, bercé par le murmure des cascatelles de l'Epte voisine qui court sous une voûte de verdure, les douze grands panneaux qui sont actuellement au musée de l'Orangerie et bien d'autres toiles, exposées au musée Marmottan. Malgré son grand âge et sa vue déclinante, ces fleurs l'inspiraient tellement qu'elles devinrent le thème unique de son œuvre, la base de ses recherches sur la lumière et sur les couleurs, qui font considérer le grand impressionniste comme l'un des précurseurs de l'art abstrait.

Le peintre est enterré dans le cimetière du village, derrière l'abside romane de la petite église, non loin des vestiges d'un dolmen qui attestent l'ancienneté de la présence humaine sur ce terroir si favorable à l'éclosion et à l'épanouissement de toutes les activités créatrices qui font la grandeur de l'homme. ■

la Troësne et le Réveillon. C'est en 1097 que Guillaume le Roux, fils de Guillaume le Conquérant, décide, en raison de l'excellente situation stratégique de la place, de remplacer le petit château féodal du Xe siècle par un solide donjon, et il charge son ingénieur, Robert de Bellême, de tracer les plans de l'ouvrage. Bellême innove : alors qu'on n'a encore construit que des donjons carrés ou rectangulaires, il dessine une tour octogonale, soudée en un point à une enceinte en forme d'ellipse, la « chemise ». Cette tour se dresse au sommet d'une motte artificielle de 20 m de hauteur, faite de pierres et d'argile, et, de son sommet, on découvre toujours une bien jolie vue sur l'Epte qui serpente au milieu des prairies, frangée de peupliers.

Ce donjon, à l'ombre duquel se développe une petite bourgade occupant une position clef, les successeurs de Guillaume le Roux le soignent avec amour. En 1123, il est doté d'une nouvelle enceinte extérieure, flanquée de tours carrées, circulaires, en éperon. En 1144, l'oriflamme de Louis VII de France (qui a réussi à se faire céder la forteresse) est hissée au haut du donjon; et lorsque, en 1160, Henri II Plantagenêt parvient à reprendre la place, il n'a qu'une hâte, la fortifier encore en ajoutant deux étages au donjon et en lui adjoignant de puissants contreforts. Il fait également construire une chapelle à l'intérieur de l'enceinte centrale, peut-être en expiation du meurtre de son conseiller et ami Thomas Becket.

Mais en 1193, Henri II étant mort et son successeur, Richard Cœur de Lion, prisonnier, Philippe Auguste récupère Gisors en soudoyant son gouverneur. Aussitôt, il renforce l'enceinte par un donjon cylindrique de 29 m de haut, à trois étages voûtés d'ogives et aux murs de 4 m d'épaisseur. Dans la salle inférieure, qui servait de cachot, des détenus ont gravé dans la pierre tendre, au XVe et au XVIe siècle, de curieux graffiti et des fresques en relief qui ont fait surnommer cet ouvrage « la tour du Prisonnier ». La comparaison des deux donjons, l'ancien et le nouveau, permet d'apprécier les progrès réalisés en un siècle dans l'art de la fortification par les constructeurs du Moyen Âge.

La vaste enceinte elliptique du château, flanquée de huit tours et percée de quatre portes, enferme aujourd'hui un joli jardin public de

4 ha, et elle est entourée d'une très belle promenade boisée qui contribue à faire de ce site l'un des ensembles médiévaux les plus attrayants de la région.

Gisors abrite un autre monument intéressant, l'église Saint-Gervais-et-Saint-Protais, commencée au XIIIe siècle par Blanche de Castille dans le style gothique et terminée, au XVIe siècle, dans le style Renaissance; elle possède de magnifiques porches latéraux gothiques, dont le style typiquement normand rappelle le grand portail de la cathédrale de Rouen, et une fort belle façade Renaissance flanquée de deux tours. L'édifice a été très éprouvé par la dernière guerre, et les statues extérieures, ainsi que les splendides vantaux anciens des portes, ont beaucoup souffert.

Les autres sentinelles anglo-normandes sur l'Epte ont laissé peu de traces. À *Neaufles-Saint-Martin,* il ne reste, du château édifié par Henri II, qu'une tour ronde en ruine. À *Dangu,* le donjon normand a presque disparu, alors que celui de *Château-sur-Epte,* construit par Guillaume le Roux, a laissé des vestiges importants : cylindrique, haut de trois étages, il est construit sur une motte encore entourée d'un fossé. Enfin, au-dessus de Bray-et-Lû, se dressent, sur une motte artificielle, un pan de mur du donjon et un fragment de l'enceinte du château de *Baudemont.*

Côté français, un peu au nord, en direction de Beauvais, sur la Troësne, Philippe Ier avait bâti la forteresse de *Trie-Château* où, en 1767, Jean-Jacques Rousseau termina ses *Confessions.* Il n'en reste que des souterrains voûtés et une grosse tour ronde, incorporés à un édifice plus récent. En remontant le cours de la rivière, au pied des collines boisées du Vexin, on aperçoit le château Louis XIII de *Bertichères* et, en flânant un peu dans les bois de la Garenne, on découvre un beau dolmen, que sa pierre de fond percée d'un trou rond a fait baptiser « la Pierre-Trouée ». Une forteresse féodale se dressait autrefois au sommet d'un mamelon isolé, devant la falaise qui domine *Chaumont-en-Vexin,* mais elle a fait place à une chapelle. Non loin de là, sur une terrasse à laquelle on accède par un pittoresque escalier, une jolie église gothique, construite au début du XVe siècle, est flanquée d'une grosse tour carrée de style Renaissance.

les manoirs normands

*Le pays d'Auge
recèle,
dans l'intimité
de son bocage,
d'innombrables
manoirs qui,
grâce au talent
des tailleurs
de pierre
et des charpentiers
locaux,
prennent souvent
des allures
de châteaux
en miniature.
Pans de bois,
hourdis de torchis,
de briques
ou de tuileaux,
disposés en motifs
géométriques variés,
couvertures
de chaume
ou de tuile
confèrent
à ces demeures
campagnardes
un charme discret.*

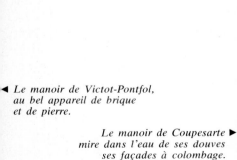
◀ *Le manoir de Victot-Pontfol,
au bel appareil de brique
et de pierre.*

Le manoir de Coupesarte ▶
*mire dans l'eau de ses douves
ses façades à colombage.*

2. Manoirs normands

La « merveille du pays d'Auge »,
vêtue de pierres blanches,
de briques vernissées rouges et vertes.
Sur la cour s'ouvre
une gracieuse galerie à arcades.

*Saint-Germain-de-Livet
joue avec les couleurs de son appareil
et de ses toitures.
Toute l'âme normande
est dans ce « petit bijou
pour une princesse enfant »
(La Varende),
qui évoque la vie seigneuriale
dans les dernières décades
du Moyen Âge.*

◄ *Le manoir de l'Angenardière,*
dans le Perche,
possède encore
tour à mâchicoulis
et galerie Renaissance.

Dans la plaine du Neubourg, ▲
le château d'Harcourt
est un beau spécimen
d'architecture militaire
du Moyen Âge.

Sur ce sol normand,
théâtre de luttes entre ducs et rois,
surgirent, du nord au sud,
d'imposantes forteresses.
Bien que transformées ultérieurement,
certaines ont conservé
leur aspect défensif.

*De style Renaissance, ▲
le manoir d'Argentelles
arbore tourelles d'angle
et tour d'escalier à colombage.*

*Dressé sur un verdoyant ▲
coteau du Perche,
le manoir de Courboyer,
bâti à la fin du XVᵉ siècle.*

8. Manoirs normands

Parmi les vallonnements boisés du Perche, des gentilhommières
dressent leur noble silhouette de pierre. Et le pays d'Argentan
possède aussi des maisons des champs aux lignes harmonieuses.

Isolé dans la campagne, ▶
un édifice un peu austère,
flanqué d'un donjon :
le manoir de la Vove.

▲ *Bellou,*
une élégante maison
des champs, flanquée
de deux tours carrées.

Mollement vallonnée, la chaleureuse campagne normande est le domaine de l'herbe grasse et du pommier, des haies touffues et des arbres bien rangés. La verdure y forme un camaïeu subtil : vert argenté des hêtres, vert plus sombre des troènes, vert plus velouté des pommiers, vert émeraude des nymphéas au long des cours d'eau, vert tendre des bouleaux, vert jaune des peupliers et surtout vert acide, triomphal, des prés, des talus et des cultures. Tous les paysages normands sont ordonnés selon la trame rigoureuse du « bocage » : les bois y sont brise-vent, les haies, clôtures de protection. Aucun espace à l'abandon. Les herbages sont destinés à produire : on y élève bovins et chevaux; on y récolte le foin. Les vaches paissent « au tière », c'est-à-dire attachées à un pieu, car l'herbe est précieuse et il ne faut pas la gaspiller. Et, pour mieux utiliser l'espace, des pommiers parsèment les prairies. Plus ou moins isolée, au centre d'un « clos » planté de pommiers et entouré de haies, grande ou petite, opulente ou modeste, l'habitation rurale est toujours fonctionnelle, accompagnée de bâtiments qui abritent le pressoir, la laiterie, l'étable, le four à pain... Colombage, torchis blanchi à la chaux ou motifs en tuileaux roses, couverture de chaume (à laquelle se substitue de plus en plus la toiture d'ardoise) lui confèrent un aspect à la fois aimable et discret.

Plutôt être que paraître. Cette crainte de l'ostentation, qui est l'un des traits du caractère normand, est plus décelable encore dans les innombrables manoirs que possède la province : ils ressemblent beaucoup à des fermes, avec juste une note de faste en plus. Et bien des « châteaux » ne sont que des manoirs...

Les « mesnils » sous les ombrages

Dans cette contrée où la richesse s'évalue en beurre, en fromage, en eau-de-vie, les manoirs fourmillent, « symboles de l'attachement au sol des classes dirigeantes de la Normandie au cours de l'Histoire », comme l'écrit Pierre Gascar. Encore toutes ces bâtisses n'ont-elles pas subsisté jusqu'à nos jours. Nombre d'entre elles ont péri du fait de la guerre ou par manque d'entretien. Mais, par bonheur, il en reste beaucoup, surtout dans les régions les plus riches.

Chacun de ces *mesnils,* qui ont prêté leur nom à tant de villages et de bourgades, témoigne de l'ingéniosité des architectes ruraux d'autrefois : « Demeures aux couleurs diverses, brunes souvent, zébrées de colombages, flanquées de petites tourelles se reflétant dans le cours d'un ruisseau ou sur la surface d'un étang, s'ombrageant de grands arbres, s'entourant de pommiers en fleur » (P. Gascar).

Visiter les manoirs revient à visiter la Normandie, car, dans leur variété, ces « maisons des champs » reflètent les particularités des régions que l'on englobe sous la bannière normande (pays d'Auge, Perche, Neubourg, pays de Caux, pays de Bray, Cotentin, Bessin, Bocage), et nul ne peut confondre un manoir augeron et un manoir du Perche. Mais, au-delà de cette disparité, il existe un air de parenté. La forme, presque toujours allongée, s'étire rarement en hauteur. Sous ces cieux humides, le toit coiffe généreusement l'édifice. Les murs arborent fréquemment des pans de bois, assemblés de façon plus ou moins fantaisiste. Et, même lorsque l'architecture ne fait pas appel au colombage, les proportions de la construction rappellent celles que dictent les contraintes du bois. La brique, le torchis (mélange de paille et d'argile, de couleur ocre) composent le hourdis, tandis que du silex, pilé et étalé à même la terre, sert de soubassement. L'usage de ces matériaux assure une parfaite harmonie avec le paysage en même temps qu'un pittoresque assez inhabituel dans des demeures de prestige. Des tourelles, des douves, des jardins ajoutent à l'élégance de ces gentilhommières rustiques, que souvent l'on devine à peine dans le secret des frondaisons.

Au cœur de la province, le pays d'Auge

Entre la Touques et la Dives, le *pays d'Auge* « compte à lui seul autant de lieux artistiques signalés que la Normandie tout entière », assure Jean de La Varende. Aussi commencerons-nous notre promenade par cette région, qu'un voyageur du siècle dernier décrivait ainsi : « Représentez-vous, au milieu du cristal des rivières, un large tapis vert de trente ou quarante lieues carrées. Représentez-vous ce beau tapis divisé en vastes compartiments par des haies entremêlées de merisiers. Voyez-le planté de pommiers en fleur. » Dans cette verte uniformité sont maintes jolies demeures d'autrefois.

À l'orée de la forêt de Saint-Gatien, sur la rive droite de la Touques, le manoir de *Canapville* est la meilleure introduction qui soit à l'architecture civile augeronne. Aucun plan précis ne semble avoir présidé à l'ordonnance du corps de logis principal. Sur un curieux toit de tuile descendant jusqu'aux fenêtres de l'entresol voisinent une lucarne et deux pignons en saillie qui rompent délicieusement l'unité de la façade. L'un des pignons fait office de porche, l'autre forme chambre à l'étage. À leur gauche, en avancée sur cette façade de guingois, une tourelle polygonale, en pierre, abrite l'escalier et soutient trois cheminées qui lui sont accolées en retrait. On peut se demander comment, sans ce massif de maçonnerie qui sert d'appui à la bâtisse, pourrait tenir le colombage des murs. En équerre par rapport à ce bâtiment, s'allonge la maison du fermier. Ce pittoresque manoir, élevé à la fin du XVᵉ siècle et au début du XVIᵉ, appartint à plusieurs familles de hobereaux. C'est aujourd'hui

De la pomme à l'alcool

La Normandie passe, à juste titre, pour le pays du cidre. Il n'en a pas toujours été ainsi. Sait-on que le « sildré » y fut importé de Biscaye vers le XVᵉ siècle et qu'il resta une boisson de luxe jusque vers 1820 ? Aujourd'hui, chaque fermier normand fabrique son cidre et garde les secrets de sa fabrication.

Il y a une saison pour tout, et principalement pour les bons cidres. On les élabore par temps froid, lorsque les pommes sont parvenues à une maturité avancée, presque blettes.

La première opération est le broyage des fruits (les meules en pierre de jadis ont été remplacées par des broyeurs mécaniques). Il faut ensuite laisser macérer plusieurs heures le moût ainsi obtenu avant la mise sous presse. Puis le pressage est la phase essentielle. Dans les fermes, on utilise le pressoir à charge carrée et à vis verticale. Le moût est « monté » par couches épaisses d'environ quatre pouces et séparées par des lits de paille. Cette colonne stratifiée atteint 0,80 m de hauteur. Une sorte de palissade l'enferme, au sommet de laquelle on dispose le « mouton », c'est-à-dire un plancher sur lequel repose l'appareil de pressage. Un premier pressage donne le « pur jus ». Par souci d'économie, la même cuvée peut être pressée une deuxième et même une troisième fois : on obtient alors le « mitoyen ». Il faut démonter le pressoir pour en retirer le moût et la paille avant de monter une autre cuvée. Le jus est mis ensuite en fûts, mais il ne faut pas mélanger le pur jus et le jus de deuxième ou de

→

▲ *Une toiture d'écailles colorées ajoute au pittoresque du manoir de Victot-Pontfol (fin XVIᵉ s.).*

Caractéristique du style augeron, le manoir de Canapville, avec tourelle d'escalier en pierre
▼ *et corps de logis à colombage.*

une fort belle ferme que, malheureusement, on ne peut pas visiter.

En face de Canapville, de l'autre côté de la Touques, près de la forêt d'Écouves, le manoir de *Glatigny* a, pour sa part, conservé son caractère de château. Les bâtiments, entourés de fossés, sont disposés autour d'une cour centrale. Si le pan de bois se retrouve dans la façade du XVIᵉ siècle, on découvre dans les deux ailes du siècle suivant l'autre appareillage favori des architectes augerons : le damier de pierre et de brique.

Au sud-ouest *Victot-Pontfol*, construit à la fin de la Renaissance, n'est pas tout à fait un manoir. Ses dimensions réduites et la proximité des bâtiments d'exploitation l'apparentent plutôt aux gentilhommières, mais un étang, dépendant de la Dorette, le cerne de douves. Et, dans ses eaux, se mirent les gracieuses façades de pierre et de brique mêlées. Les communs sont occupés par un haras.

Non loin de Victot, à Cambremer, dont le nom évoque l'œuvre de Marcel Proust, on peut voir le manoir de *Cantepie* (XVIᵉ s.), à pans de

troisième pressage. Dans les jours qui suivent, la fermentation s'opère. Les impuretés remontent en « chapeau » à la bonde. Deux soutirages, à quinze jours d'intervalle, suffisent.

Un bon pur jus obtenu en janvier sera mis en bouteilles à la fin de février et donnera un excellent cidre bouché réservé aux jours de fête. Encore qu'un dicton normand affirme qu'« à bon cidre il ne faut pas de bouchon »! Avec le mitoyen, beaucoup plus allongé d'eau, on obtiendra le cidre de consommation courante. Dans les mauvaises années, le paysan normand fabrique même ce qu'il appelle du « p'tit bère » (petit cidre) qui contient 75 p. 100 d'eau.

Naguère, chaque ferme augeronne ou du Bocage possédait son alambic pour distiller le cidre. Chaque espèce

▲ Le manoir de Crèvecœur-en-Auge, une gentilhommière rustique à pans de bois, de style Renaissance.

de pommes et chaque terroir donnent, en effet, des cidres de saveurs variées qui, par distillation, produisent des alcools blancs très divers dont le calvados est le plus célèbre. Le « calva » est surtout augeron. Dans le Bocage, on lui préfère la « blanche » — elle s'obtient en faisant « bouillir » à l'alambic du pur jus. L'alcool doit ensuite vieillir une bonne quinzaine d'années en fût ou, mieux encore, en bouteille de grès. La blanche qui titre honnêtement ses 72⁰ possède un arôme et un fruité incomparables.

Au pays de Domfront, on presse de petites poires dures pour fabriquer un poiré savoureux qui, une fois distillé, donne un alcool de poire, âpre et fort.

Une « route du cidre », fléchée, permet de découvrir la campagne augeronne et son mode de vie, et de

bois, et celui du *Bois-du-Bais* (XVIᵉ s.), avec une poterne en appareil à damier, des ailes flanquées d'échauguettes à colombage et un pigeonnier octogonal, surmonté d'un étrange campanile. À *Crève-cœur-en-Auge* sont un charmant manoir à pans de bois et les restes d'un château remontant au XVIᵉ siècle.

Au bord de la Vie, *le Mesnil-Mauger* a un manoir en bois (XVᵉ-XVIᵉ s.), transformé en ferme. *Grandchamp-le-Château* est une habitation à pans de bois et à grand toit pointu, à laquelle s'accolent deux tours d'angle carrées à dôme et lanternon, et, jouxtant cette folie architecturale, un corps de logis, en brique et pierre, du Grand Siècle, qui fait figure de galerie basse. En comparaison, *Coupesarte* est l'exact spécimen du manoir à colombage, empreint d'une certaine bonhomie rurale. Autour d'une cour, deux logis en équerre — l'un pour l'habitation, l'autre pour les communs —, et des étables; à l'extérieur, des douves que commandent deux tourelles en encorbellement, coiffées de toits en poivrière, un soubassement immergé en pierre, un rez-de-chaussée et un étage à pans de bois. Le colombage à bois croisé qui ceinture l'édifice au niveau des allèges atteste un souci du décor. Même recherche côté cour, où l'étage du bâtiment principal, en encorbellement, prend appui sur des entretoises que soutiennent des consoles rythmant la façade.

Si Coupesarte est admirable, d'aucuns lui préfèrent cependant *Bellou* (XVIᵉ-XVIIᵉ s.), qu'ils trouvent mieux dessiné, plus soigné dans les détails. Récemment restaurée, cette construction montre ce que pouvait être la jeunesse de ces « baraques branlantes ». Il est certes dommage que les fossés aient été comblés. Mais Bellou a encore fière allure, avec ses murs à pans de bois sur soubassement de pierre de taille. Deux petits pavillons flanquent l'une des façades, deux tourelles rondes l'autre.

Proche de Bellou, *Chiffretot* est l'œuvre du XVIIᵉ siècle. Il tient du gîte et du nid, et les amants heureux qui le firent construire avaient sans doute plus d'âme et d'élégance que de fortune. Tout à côté, à Notre-Dame-de-Courson, une égale simplicité caractérise le manoir de *la Cauvinière*. Même colombage, même hourdis de tuileaux qu'à Chiffretot. Mais, ici, le corps de logis se complique d'une aile en retour et deux pavillons le précèdent à chaque extrémité. Par bonheur, les fossés ont été conservés.

L'élégance collet monté de Fervaques

Un peu plus au nord, *Fervaques* (XVᵉ-XVIᵉ s.) a également les pieds dans l'eau de ses douves qu'alimente la Touques. C'est plus un château qu'un manoir. Dès l'abord, son ancienne poterne rappelle les défenses médiévales. Vue de cette porte fortifiée, la bâtisse a un air

Fervaques : la porte fortifiée, du temps de la Ligue, et le pavillon construit
▼ *par Guillaume de Hautemer.*

presque avenant en raison de ses nombreuses ouvertures : c'est un long bâtiment bas flanqué de gros pavillons carrés, fait de pierres formant bossages sur un fond de briques roses. Aperçu de l'extérieur — de la route qui le borde —, le château gagne en force : l'appareil à forte saillie s'accorde merveilleusement avec la silhouette massive de l'ouvrage. C'est bien là la demeure que pouvait faire bâtir un maréchal de France. Fervaques fut, en effet, élevé par Guillaume de Hautemer qui reçut la dignité de maréchal de France des mains du roi

voir, dans les fermes, caves et vieux pressoirs. De Cambremer à Bonnebosq, en passant par Beuvron-sur-Auge, Beaufour et Druval, ce circuit ne ménage pas les lieux où déguster cidre et calvados. ∎

De bons produits laitiers

Les vaches des herbages normands sont de grandes productrices de lait. Pour le seul Bessin, le cheptel ne compte pas moins de 45 000 vaches laitières. Quand on sait qu'une vache produit en moyenne 3 600 litres de lait par an, on en devine l'importance dans l'économie locale. Il faut dire que cette production est des plus simples, car les vaches sont au pré durant presque toute l'année. C'est tout juste si elles effectuent une courte stabulation en hiver, période durant laquelle on doit leur fournir un complément de fourrage.

Aujourd'hui, la traite est assurée par le producteur et non plus par les « triolettes », ces femmes qui jadis étaient employées à cet office; 40 p. 100 des producteurs disposent d'une machine mobile ou même d'une salle de traite. Un complexe réseau de ramassage assure le transport du lait vers les grandes laiteries d'Isigny, de Saint-Lô, de Bayeux ou d'ailleurs. Si cette organisation a le mérite de l'efficacité, on peut regretter la disparition des « crus beurriers ». Car, il faut en convenir, l'écrémage et le battage à la ferme ont pratiquement disparu de la Normandie.

Fabriquer son beurre était autrefois l'une des principales

▲ *Sous les pommiers, les « normandes » : une vue classique du pays d'Auge.*

Henri IV. Le roi y aurait séjourné, et on lui attribue, avec un peu de hâte sans doute, l'inscription :

Courons, ventre-saint-gris! La dame de Fervaques
Mérite prompt retour et de tendres attaques.

La petite histoire veut que la veuve du maréchal, voulant se remarier, ait compté de nombreux candidats, Maurice de Nassau et le duc de Chevreuse entre autres, qu'elle accueillit en sa maison avec une égale faveur et qui lui procurèrent une égale déception. Souvenirs « sentimentaux » encore : au début du XIXᵉ siècle, le château, alors propriété de Mᵐᵉ de Custine, abrita les entretiens intimes de la belle Delphine avec son amant volage, Chateaubriand.

Après Fervaques et ses grandeurs un peu hautaines, une halte s'impose à *Saint-Germain-de-Livet*, ravissante résidence du XVIᵉ siècle. « Petit bijou pour une princesse enfant », disait de ce château Jean de La Varende. Des douves glauques, une couverture de tuiles vernissées de rouge, vert, jaune, rose, un appareil en damier de briques roses et de pierres blanches, animé à certains endroits par des briques vernissées vertes, lui confèrent une élégance certaine. Le portail d'entrée arbore deux tourelles. Un corps de logis à pans de bois, plus ancien d'un siècle, jouxte en retour d'équerre le bâtiment principal, d'une architecture recherchée avec arcades et tours. L'intérieur abrite des fresques de la Renaissance, des œuvres des peintres de la famille Riesener, notamment d'Henri-François, fils de l'ébéniste célèbre, et un intéressant mobilier d'époque.

Le Mesnil-Guillaume, à une dizaine de kilomètres d'Orbec, peut paraître austère de prime abord, comme, souvent, les châteaux de style Louis XIII. Ce grand quadrilatère de calcaire blanc ne manque pourtant pas de fantaisie, mais il faut la découvrir. Le château s'entoure d'eau comme un nid de héron. Aux angles, des échauguettes de brique et de pierre, coiffées de dômes à lanternon, répondent plus à une mission d'élégance qu'à une fonction militaire. La poterne d'entrée, admirable, ouvre sur une cour rectangulaire, parfaite de proportions et dont l'aile sud se pare de potelets sculptés. Enfin, les toits en cloche dominent des terrasses d'où la vue embrasse une vallée peu profonde et verte, un de ces paysages où l'on imagine les vaches faisant du lait, et les bergères de la dentelle.

Par *Norolles*, riche d'un manoir du XVIIIᵉ siècle, et *Firfol*, dont la ferme-manoir Renaissance comporte un joli pigeonnier, on contourne Lisieux pour gagner Ouilly-du-Houley. Ici s'achève le pays d'Auge et commence le *Lieuvin*, petite contrée de la rive gauche de la Risle, où se retrouvent les horizons d'herbages quadrillés de haies. Le château d'*Ouilly-du-Houley*, juché sur un promontoire, contrôle l'extrémité du plateau calcaire, où le bocage cède la place à une interminable forêt de hêtres. Ce mesnil n'a rien des fragiles manoirs de bois, délicieusement biscornus, que nous avons vus jusqu'ici. C'est un édifice de pierre accroché au roc. On l'appelle « Ouilly-la-Ribaude », selon une dénomination qui remonte au premier castel, vers le XVᵉ siècle. À cause de sa lointaine origine, l'actuel château, formé de bâtisses d'époques diverses, est un assemblage bizarre, dépourvu de symétrie, mais non de pittoresque. À l'intérieur, les boiseries Louis XIV ont conservé leurs peintures. Où trouver contraste plus parfait entre la douceur de leur bleu et la solennité de leur écrin?

▲ *Bâti selon les plans*
de Jules Hardouin-Mansart,
le haras du Pin,
voué au culte du cheval.

activités de la ferme. Après la traite, le lait était filtré puis versé dans des pots de grès ou des brocs de cuivre, les « cannes », où on le laissait reposer deux ou trois jours afin de permettre à la crème de monter à la surface. Tous les jours, cette crème était recueillie à la passoire et déposée dans des vases ventrus, les « sérènes », à la base desquels un trou était maintenu bouché par une fiche de chêne. C'est par ce trou qu'on faisait s'écouler le petit-lait lorsque la crème se décantait. La crème pure était ensuite battue. L'opération devait se dérouler de nuit ou au petit matin, à cause de la température. Les barattes normandes étaient tantôt des barattes horizontales, posées sur un chevalet et animées par une manivelle; tantôt une « batte-beurre » verticale, munie d'un « tapon » ou

▲ *Dans un aimable paysage percher*
l'imposant château
des Feugerets,
édifié au XVIe siècle.

De par le Perche « normand »

On ne dira jamais assez combien la Normandie juxtapose des paysages divers. Autant le pays d'Auge est une marée d'herbes, autant le *Perche* est forestier. Les chênaies de la forêt du Perche, parsemée d'étangs, les futaies régulières de hêtres et de chênes du massif domanial de Réno-Valdieu — jadis forêt du Val du Diable — se prêtent à de reposantes promenades. Mais la plus remarquable forêt est celle de Bellême. Moulés sur un rebord de plateau, ses 2 400 ha sont peuplés de chênes géants et de hêtres hauts de 40 m et vieux de deux cents ans. Des houx imposants habillent le sous-bois, et la mousse tapisse agréablement le sol. La nappe tranquille de l'étang de la Herse, la fraîche vallée du Creux, le panorama que l'on a depuis le village de La Perrière, autant de sites qui méritent un détour.

Au centre de ce pays boisé, une ancienne capitale de comté : *Mortagne-au-Perche.* Les guerres n'ont malheureusement laissé que des lambeaux de ce qui fut autrefois une superbe ville forte. La porte Saint-Denis témoigne des fortifications disparues. De vieux hôtels subsistent dans les rues qui convergent vers l'église Notre-Dame, le plus beau monument de la cité, où se mêlent gothique flamboyant et style Renaissance.

Ici aussi, des manoirs dont l'architecture, de pierre et souvent fortifiée, est moins riante que celle des gentilhommières augeronnes. Peut-être parce qu'il s'agit plutôt de châteaux, bâtis à la fin du Moyen Âge et dotés de l'appareil défensif qu'exigeait l'époque. Les siècles ultérieurs en firent généralement des fermes. L'un des plus typiques est celui de *Courboyer,* qui dresse sur un coteau sa silhouette féodale de pierre blanche. Cet aspect de maison forte se retrouve dans les manoirs de *la Vove* et de *l'Angenardière,* ce dernier flanqué d'une grosse tour à mâchicoulis. Le château des *Feugerets,* dans la verdure, est déjà une demeure de plaisance : des douves asséchées bordées de fines balustrades de pierre ceinturent un élégant ensemble du XVIe siècle. Quant au château de *La Genevraie,* l'un de ses propriétaires, défiguré en combattant contre les Cosaques lors des guerres de l'Empire, servit de modèle à La Varende pour son *Nez-de-Cuir.*

Haut lieu du culte du cheval

À quelques lieues de là, au pays d'Argentan, s'élève un majestueux château consacré au cheval : un cadre Grand Siècle pour le plus noble des animaux. C'est, en effet, à une initiative de Colbert que l'on doit la création du *haras du Pin.* Reprenant un projet émis quelques années plus tôt et dont la réalisation avait échoué, le ministre de

Louis XIV créa en 1665 les haras publics, entretenus par l'État. Le gouvernement acquit le domaine du Pin et confia à l'architecte Jules Hardouin-Mansart la conception d'un château. Les travaux ayant été retardés en raison de difficultés financières, l'édifice ne fut élevé qu'au XVIIIe siècle, de 1715 à 1728. L'ensemble (il se compose d'une cour d'honneur, d'un corps de logis central et de deux ailes) possède cette perfection des lignes qui flatte l'œil de tout amateur d'art. Allées et terrasses, dessinées par Le Nôtre, participent à la beauté de ce décor, qui domine la vallée de l'Ure.

Le domaine du Pin, vaste de 1 112 ha, abrite aujourd'hui l'École nationale des haras et un établissement modèle. Dans ses écuries, environ 150 étalons représentent la quintessence de l'élevage local. Ils appartiennent à différentes races : le pur-sang anglais, une race vieille d'environ deux siècles, d'origine asiatique et anglaise; le trotteur français, race créée par les haras; le cheval de selle, autrefois appelé « anglo-normand », produit du croisement du pur-sang anglais avec le cheval normand; le cob normand, utilisé pour des travaux de trait léger; l'anglo-arabe, mélange de pur-sang anglais et de pur-sang arabe — un cheval rapide et rustique à la fois; et, bien sûr, le percheron, inimitable, dont la robe gris pommelé était naguère indissociable des scènes de labour dans les champs.

Mais laissons à La Varende le soin de nous décrire en poète les percherons qu'il put admirer au haras du Pin : « Une vingtaine de splendides monstres [...] de même échantillon et de même robe dont la position parallèle permet une vue d'ensemble, vue un peu effarante quand s'y ajoute le sentiment de cette force ainsi réunie, et de cette puissante perfection qui ne supporte aucune tare. » Et ailleurs il évoque « ces carènes énormes, ces jambes, ces croupes formidables, ces épaules monumentales, ces robes dont le pommelé grossit encore le cheval et fait éclater sa jeunesse! Tous sont posés, luisants et de délicats reflets du jour miroitent sur les formes claires. Ils sont là paisibles, débonnaires, bons enfants, par douze et six, mais l'esprit ne peut se détacher de leur vigueur terrible ».

Dans le Perche, l'élevage du cheval est séculaire. Dérivée, dit-on, d'une variété de chevaux arabes, la race percheronne a pris un grand essor à partir du XVIIe siècle. Les robustes produits de cet élevage étaient recherchés comme chevaux de poste. Dans le souci de satisfaire la demande étrangère — anglaise et américaine surtout —, on modifia la race vers la fin du XIXe siècle pour fournir le grand « rouleur » aux larges jarrets mais de forte encolure. Jusqu'à la Seconde Guerre mondiale, chaque ferme percheronne possédait une ou plusieurs juments, et la saillie était assurée soit par les étalons des haras nationaux, soit par ceux des grands propriétaires. La plupart de ces élevages ont disparu, mais les foires qu'engendraient les ventes de chevaux ont subsisté à L'Aigle, Longny-au-Perche et Bellême.

« pilon » qui agitait la crème. La présentation de la motte se faisait grâce à de pittoresques moules à beurre en bois, frappés de sculptures naïves en creux qui s'imprimaient en relief sur le beurre. ∎

Au royaume des fromages

La Normandie, pays laitier, est le domaine privilégié des fromages à pâte molle. Camembert, pont-l'évêque, livarot : des noms célèbres au palmarès de la production fromagère française. Une renommée qui n'est plus à faire !

Des fromages frais étaient déjà fabriqués en pays d'Auge au XIIe siècle. Et dans le *Roman de la Rose,* on trouve mention d'« angelots » ; probablement s'agit-il du livarot ou du pont-l'évêque. À la fin du XVIIIe siècle, une fermière, Marie Harel, fit connaître sur les marchés un fromage local appelé à un prestigieux destin dans le monde entier : le camembert. Mais ce n'est qu'au siècle dernier que la vocation fromagère de la Normandie s'affirma pour prendre l'extension que nous lui connaissons aujourd'hui.

La plus délicate de ces fabrications est celle du *pont-l'évêque,* dont l'aire de production se situe le long de la vallée de la Touques et sur les plateaux de l'Eure jusqu'à Bernay. Ce fromage est élaboré à partir de lait frais, encore chaud (car, durant toute l'opération, il faut éviter l'acidité). Un seul pont-l'évêque requiert 3 litres de lait à la température de 32-33 °C. On ajoute de la caillette de veau pour emprésurer le lait. Après

→

*Pavillon gothique,
galerie Renaissance
et bâtiment du XVIIIe siècle :*
▼ *le château d'Ô.*

Les joyaux du pays d'Argentan

Séparé du pays d'Auge par la large vallée de la Dives, le *pays d'Argentan* est cette petite région, arrosée par l'Orne, que limitent au sud la *forêt d'Écouves,* massif de 15 000 ha, peuplé de feuillus et de résineux et où il fait bon se promener à pied parmi les profondes futaies (le signal d'Écouves [417 m] est l'un des sites les plus élevés de la France de l'Ouest), et au nord la non moins belle *Gouffern.* Les constructions mélangent le moellon tiré de la craie et la brique fournie par la terre. Moellons blancs et briques rouges décorent donc ici la plus humble ferme comme le plus noble château.

Cette alliance de pierre et de brique atteint sa plus grande originalité à Mortrée, avec le *château d'Ô* (XVe-XVIIIe s.), qui s'élève sur un îlot au milieu d'un étang. Des ajouts successifs ont dressé, en un élan « baroque », un fouillis de murs, tourelles, clochetons, toits, pinacles et arcatures où s'épanouit tout un répertoire ornemental — ici,

▲ *L'ordonnance classique du château du Champ-de-Bataille : portail monumental côté parc et vastes communs.*

coagulation, le « caillé » est divisé, malaxé, égoutté, puis versé dans un moule carré. Il subit alors un nouvel égouttage qui dure 2 jours.

Intervient ensuite le salage. Puis les fromages sont placés sur des claies recouvertes de paillon dans un hâloir ventilé. La fermière doit retourner chaque jour ses fromages. Enfin, c'est l'affinage en cave, deux mois durant, qui permet d'obtenir cette pâte jaune, onctueuse, au léger goût de noisette, enveloppée par une croûte, plus ou moins foncée selon l'âge.

Pour le *camembert*, qui inspira à Léon-Paul Fargue une exclamation suggestive (« Les pieds de Dieu ! »), la technique de fabrication est nettement plus simple. Il faut 2 litres de lait de vache entier pour un camembert. Le caillé, égoutté, salé, est vaporisé de *Penicillium album*,

placé pendant environ une semaine dans un hâloir et affiné en cave (de 4 à 6 semaines). Si, à l'heure actuelle, bien d'autres régions de France confectionnent ce fromage, le véritable camembert normand (label Rouge) demeure inimitable.

Quant au *livarot*, à la forte personnalité, il fut longtemps exclusivement fermier — les paysans le vendaient aux affineurs. Ces derniers assurent aujourd'hui sa fabrication. Mais la tradition ancestrale a été préservée : le caillé est moulé dans des « cliches » de bois agrafées, égoutté, salé, essuyé en hâloir, affiné dans des caves chaudes et humides, sur des « glottes » de jonc. Après fermentation, le fromage est ceint d'une armature de lanières de roseaux, ce qui lui donne son aspect définitif. ■

flamboyant, là, Renaissance avant la lettre. Ce palais gothique fut la demeure de François d'Ô, grand maître de la garde-robe de Henri III, surintendant des Finances et gouverneur de Paris, qui, selon Sully, fut « plus splendide dans ses équipages, ses meubles et sa table que le roi lui-même ». Il est aujourd'hui la propriété de l'association Vieilles Maisons françaises, qui l'a restauré avec soin, et l'on peut visiter ce gracieux édifice, dont les trois corps de bâtiment encadrent une cour d'honneur bordée, sur son quatrième côté, par une balustrade.

Plus au nord, le château du *Bourg-Saint-Léonard*, bâti par le baron de Cromot, conseiller et secrétaire du cabinet du roi, surintendant des Bâtiments du comte de Provence, se mire dans les eaux d'un étang au milieu d'un vaste parc à l'anglaise. Il réunit l'élégance des proportions et le raffinement dans les détails propres aux grandes demeures du siècle des lumières. À l'intérieur, de riches boiseries et un salon chinois complètent ce chef-d'œuvre de l'architecture prérévolutionnaire. Rien d'étonnant à ce que Florian, ami des châtelains, ait aimé cette demeure et son cadre bucolique et y ait écrit quelques-unes de ses pastorales.

Au Bourg-Saint-Léonard, on est très loin des manoirs à colombage. Pourtant, il en est un, tout proche : le manoir d'*Argentelles*, qui renoue avec la rustique architecture à pans de bois. Cette construction, de la fin du XVe siècle, se présente comme un bâtiment rectangulaire flanqué de tourelles à ses angles. Sa situation au milieu d'un pré, dans une riante campagne, contribue à son charme.

De ce vert pays, dont les trésors sont trop peu connus (châteaux de Rânes, Médavy, Chambois, Ménil-Glaise), *Argentan* est la capitale. La cité possède elle-même un château, construit du XIVe au XVIe siècle, qui fut forteresse avant de servir de tribunal et de prison. Quelques beaux hôtels ont échappé aux destructions de 1944. Deux églises, Saint-Germain et Saint-Martin, présentent toutes les caractéristiques des édifices souvent remaniés. Mais, dans le premier sanctuaire, les apports successifs sont les fioritures un peu lourdes d'un gothique attardé. Dans l'abbaye bénédictine, on peut voir exécuter par les moniales la célèbre dentelle d'Argentan.

C'est la dentelle à l'aiguille qui nous conduit maintenant au sud d'Argentan, au-delà de la forêt d'Écouves, à *Alençon*. Les vitrines du musée de peinture, installé dans l'hôtel de ville, permettent d'admirer les chefs-d'œuvre de cet art plein de finesse. Mais, ville d'art, Alençon recèle aussi les dentelles de pierre de l'église Notre-Dame, de pur style flamboyant. Le remarquable porche à trois pans, où est représentée une Transfiguration, a été conçu par Jean Lemoine à la fin du XVe siècle. La maison d'Ozé (XVe s.), où on découvre un musée d'histoire locale, le tribunal de commerce, l'ancien château des ducs (XIVe-XVe s.), devenu prison, composent un bel ensemble architectural que complète, de-ci de-là, de vieux hôtels.

Les seigneurs du Neubourg et de l'Ouche

Après les horizons vallonnés du Perche et du pays d'Argentan s'étale une campagne découverte mais moins variée, l'une des plus opulentes de la Haute-Normandie grâce à ses cultures : le *Neubourg*. L'amateur appréciera ses églises rurales, abritées derrière un rideau d'ifs, et ses élégants châteaux, témoins d'un riche passé. Les deux seigneurs sont incontestablement le Champ-de-Bataille et Harcourt, tous deux châteaux de ducs. La brique, le silex et la pierre leur servent de parure.

La puissante forteresse féodale d'*Harcourt* (XIVe s.), qui commande de riches étendues céréalières, fait penser au château de la Belle au bois dormant. Il faut parcourir le vieux village et traverser un parc à l'abandon avant d'atteindre les hauts murs, envahis de lierre. De larges fossés protègent les murailles. Huit tours renforcent l'enceinte, dont deux, énormes, encadrent le porche d'entrée. Le château et son parc de 120 ha sont la propriété, depuis 1828, de l'Académie d'agriculture de France.

Non loin de ce terrible donjon, assoupi dans ses souvenirs héroïques, le château du *Champ-de-Bataille* déploie une somptueuse ordonnance. C'est l'actuel palais des ducs d'Harcourt. Élevé pour Alexandre de Créqui, de 1686 à 1701, il se compose de deux bâtiments de brique ceinturés et chaînés de pierre blanche — l'un est le château proprement dit, l'autre abrite les communs —, placés face à face, de part et d'autre d'une spacieuse cour d'honneur. Des portiques occupent les deux autres côtés. L'ensemble évoque le faste versaillais. À l'intérieur, du mobilier ancien, des toiles de maîtres.

Plus ancien, mais non moins élégant, le château de *Beaumesnil* s'élève au cœur du pays d'Ouche. Il fut tour à tour fief de la famille d'Harcourt, du duc de Béthune-Charost, du duc de Montmorency-Laval et du grand-duc Dimitri de Russie. Son propriétaire actuel, M. Jean Furstenberg, lui a rendu son visage primitif abîmé par l'Occupation. Le château domine de toute sa splendeur le plateau de Beaumont-le-Roger. Bâti en hauteur dans un harmonieux appareil de pierre et de brique, il émerge au-dessus d'un nid de verdure, avec ses toitures vertigineuses, le dôme à pans de son pavillon central, ses hautes cheminées, ses lucarnes surmontées de frontons à triples bouquets. Ici, la somptuosité se fait insolente, dans une accumulation presque exagérée de balustres, de mascarons, de trophées. Un véritable joyau de style Louis XIII que La Varende qualifia de « rêve de pierre ». Il le décrit d'ailleurs dans *Nez-de-Cuir* : « Tous les autres châteaux ne paraissent plus que des gîtes quand on les rapproche de son éblouissante beauté, de son lyrisme national. Où trouver pareil jaillissement architectural, une sveltesse si hautaine, une couleur aussi éclatante et une telle abondance de chair décorative ? »

Du bien manger

Au pays des fromages subtils, du cidre et du calvados, le fin gourmet ne peut être déçu. La cuisine y est savoureuse. Elle a souvent recours à la crème fraîche, moelleuse et légère, qui agrémente les plats les plus variés, des œufs aux poissons, des légumes aux viandes. La *sole dieppoise*, le *poulet vallée d'Auge*, flambé au calvados, cuit dans du cidre, le *perdreau à la normande*, lui aussi rehaussé de calvados, les *côtes de veau au cidre bouché…*, autant de mets raffinés qu'offre la table normande.

Qui ne connaît pas les *tripes à la mode de Caen?* C'est au XVIIIe siècle que, dans la capitale du Calvados, on prit l'habitude d'utiliser les tripes de porc. Par la suite, on leur substitua des viscères de bœuf. Sens de l'épargne? Goût de la bonne chère? Ce sont là deux « vertus » normandes, et il importe peu de savoir laquelle présida à la création de ce plat fameux. Boyaux de bœuf et de veau, pied de veau, un peu de panse de bœuf, un rien de couenne de lard, carottes, oignons cloutés de girofle, condiments, cidre, calvados se retrouvent dans la grande marmite de grès pour un succulent mariage, longuement mitonné.

« Dans le cochon, tout est bon », proclame un dicton normand. À Mortagne-au-Perche, la spécialité est le boudin. Chaque ferme du Perche confectionne ses rillettes. L'andouille a fait la renommée gastronomique de Vire.

Quant aux desserts, nombre d'entre eux utilisent la pomme, fruit du pays : *compote de pommes en terrine; tarte paysanne…* ∎

▲ *En pays d'Ouche, Beaumesnil, riche édifice Louis XIII où la brique s'égaie de chaînages de pierre.*

Près de Beaumont-le-Roger, le manoir du Hom, aimable demeure du XVIe siècle ▼ *entourée d'eaux tranquilles.*

Retour à la simplicité terrienne

À l'inverse de ces demeures historiques, toutes chargées de superbe, les manoirs du Cotentin et du Bocage retrouvent des aspects rustiques, pleins d'une bonhomie terrienne. On n'y rencontre plus la construction à colombage, traditionnelle en pays d'Auge. Dans ces régions qui annoncent la Bretagne, le sol fournit en abondance le schiste, le granite ou le grès qui servent ici à l'architecture.

C'est au détour d'un de ces chemins creux, que l'on nomme des « caches », que l'on aperçoit soudain l'austère et harmonieuse

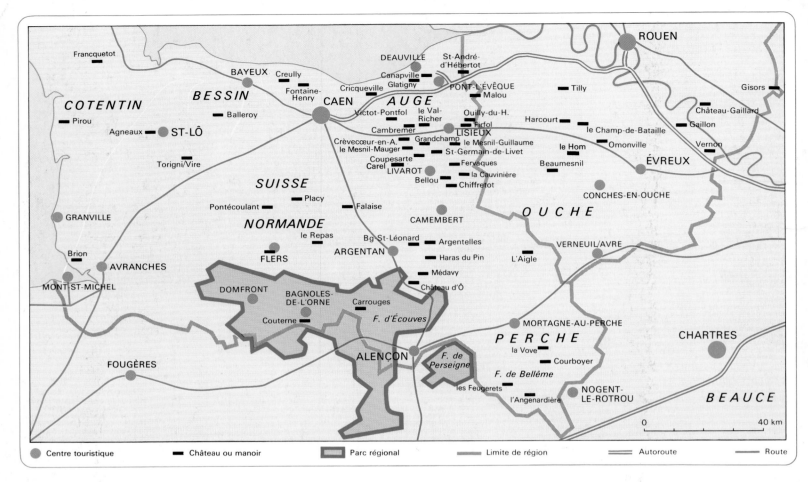

grandeur de ces masses de pierre : manoirs du *But,* près de Cherbourg, de *Francquetot,* en grande partie du XVIIIᵉ siècle. Certains manoirs sont de gros châteaux, tels celui de *Torigni-sur-Vire,* « petit Versailles de la Basse-Normandie » et ancienne demeure du maréchal de Matignon, ou celui de *Tourlaville,* qui fut, à la fin du XVIᵉ siècle, le théâtre d'un étrange roman d'amour entre Julien de Ravellet et sa sœur Marguerite, dont les destins passionnés et tragiques furent plus tard esquissés par Barbey d'Aurevilly et par Théophile Gautier.

Accompagnent ces demeures d'un autre âge des horizons bocagers chers à Maupassant qui, dans *Notre cœur,* nous les dépeint en ces termes : « Un long pays onduleux, coupé de vallons où les domaines des paysans, herbages et prairies à pommiers, étaient entourés de grands arbres dont les têtes touffues semblaient luisantes sous les rayons du soleil. On touchait à la fin de juillet; c'était la saison vigoureuse où cette terre, nourrice puissante, fait épanouir sa sève et sa vie. Dans tous les enclos, séparés et reliés par ces hautes murailles de feuilles, les gros bœufs blonds, les vaches aux flancs tachetés de vagues dessins bizarres, les taureaux roux au front large, au jabot de chair poilue, à l'air provocateur et fier, debout auprès des clôtures ou couchés dans les pâturages qui ballonnaient leurs ventres, se succédaient indéfiniment à travers la fraîche contrée, dont le sol semblait suer du cidre et de la chair. Partout de minces rivières glissaient au pied des peupliers, sous des voiles légers de saules; des ruisseaux brillaient dans l'herbe une seconde, disparaissaient pour reparaître plus loin, baignaient toute la campagne d'une fraîcheur féconde. »

Balleroy, prestigieux vestige du Grand Siècle

En revenant vers le centre de la Normandie, là où se croisent les routes de Caen et de Bayeux, voici la bourgade de *Balleroy,* modèle d'urbanisme au service d'un château : le paysage environnant et la localité elle-même ont été aménagés de façon à mettre en valeur le château. Mieux vaut l'aborder de face, par la rue unique et l'allée qui la prolonge : on parcourt une voie royale. Tout au bout de la perspective, qui prolonge encore la cour d'honneur, surgit la majestueuse silhouette du pavillon central du château, couronné d'un lanternon, dont la masse semble barrer tout l'horizon. À mesure que l'on avance apparaissent les trois étages de la façade, les deux ailes latérales, puis deux pavillons bas, construits aux angles de la cour d'honneur. La pierre schisteuse, d'une jolie couleur rougeâtre, est rehaussée par des chaînages de pierre blanche. Si l'on en croit la tradition, François Mansart serait l'auteur de cette somptueuse résidence.

Lors du débarquement allié en juin 1944, Balleroy, pourtant situé à un nœud routier stratégique et proche du champ de bataille, échappa par miracle à la destruction. Aujourd'hui, le château joint à l'attrait de sa décoration intérieure et de son parc à la française — les parterres de broderies sont de Le Nôtre — celui d'un musée unique au monde. En effet, les anciennes écuries abritent un musée des Ballons, où documents, souvenirs, nacelles, gravures évoquent l'histoire des ballons, des frères Montgolfier jusqu'à nos jours.

▲ *Chef-d'œuvre du Grand Siècle,*
Balleroy a été construit
par François Mansart
pour un conseiller de Louis XIII.

la Normandie des monts
et des bois

*La Normandie
n'est pas seulement
le pays des verts pâturages,
où de lents cours d'eau
serpentent
au milieu de grasses prairies.
Aux doux vallonnements
du bocage succèdent
des forêts touffues,
des reliefs abrupts
et des rochers imprévus.*

◀ *Suisse normande :
s'élevant au-dessus
des gorges boisées de la Rouvre,
la curieuse roche d'Oëtre.*

*Au Mesnil-Gilbert,
le cours sinueux de la Sée,
encombré de plantes aquatiques.*
▼

*Au milieu de vallonnements boisés, ▶
un clos à Chachains,
près de Carrouges.*

▲ *Un curieux escarpement rocheux*
▲ *enfoui dans la verdure :*
  le rocher de l'Aiguille.

▲ *Mortain : le site de*
  la Grande Cascade
  qu'aima peindre
  Gustave Courbet.

Sous-bois dans ▶
la forêt d'Andaine, ▶▶
que hantent cerfs,
chevreuils et sangliers.

Dans ces régions
solitaires,
il appartenait jadis
à chacun d'assurer
sa sécurité :
murailles solides,
tours massives
et fossés profonds
répondaient
plus à une nécessité
qu'à une mode architecturale
ou à une vaine gloriole.

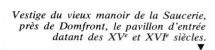

*Vestige du vieux manoir de la Saucerie,
près de Domfront, le pavillon d'entrée
datant des XVe et XVIe siècles.*
▼

Le château de Carrouges, ▶
*un vaste quadrilatère
flanqué de tours
et protégé par de larges douves.*

*En Suisse normande, ▲
un des méandres de l'Orne
aux rives couvertes
d'une abondante verdure
(Saint-Philbert).*

*Le château de Rabodanges ▶
fut élevé au Grand Siècle,
en pierre du pays.*

*Crèvecœur, ▶▶
un édifice Renaissance
remanié au XIXᵉ siècle.*

La Normandie des collines et des bois
a maintenant un visage souriant
qui ajoute à la séduction de ses nobles demeures
et de ses paysages verdoyants.

Dans la délicate lumière ▶
du petit matin,
la vallée de l'Orne,
à Clécy-Bourg.

▲ *La corniche du Pail offre de jolies vues sur les verts horizons des Alpes mancelles.*

La Fosse-Arthour :
la Sonce traverse un défilé rocheux
▼ *et s'y brise en cascatelles.*

Parler d'escalade ou de canoë-kayak en Normandie peut surprendre. Évoquer de sombres forêts de sapins dans l'Orne a de quoi étonner. Et pourtant... entre l'Île-de-France à l'est et la Bretagne à l'ouest, entre les Pays de la Loire au sud et le rivage de la Manche au nord, la Normandie armoricaine offre ces attraits. Sur ses longues croupes de roche dure, peu propices à la culture, déchirées par endroits d'entailles sauvages, seuls l'arbre et l'herbe prospèrent, et une succession de forêts coiffent d'ouest en est les derniers contreforts du Massif armoricain. Bien qu'elles possèdent les points culminants de la France de l'Ouest, ces collines ne sont guère élevées. Pourtant les comparaisons avec la Suisse ou les Alpes ne sont pas absurdes : falaises à pic, panoramas étendus, gorges profondes, cascades écumantes, herbages aux pentes raides, sapinières composent leurs paysages. Une différence toutefois : l'absence du froid, qu'expliquent l'influence océanique et l'altitude n'excédant pas 417 m.

En ce pays secret, l'homme a longtemps vécu replié sur lui-même; les guerres, les nécessités économiques, le développement touristique l'ont aujourd'hui conduit à sortir de l'ombre de ses arbres et de ses châteaux. Et le caractère solitaire de la région est désormais un atout supplémentaire.

Les trouées vers la Bretagne

Dans ce bocage normand, qui n'est pas sans rappeler par certains côtés les paysages plus âpres de la Bretagne, avec landes et bruyères, gorges et escarpements, l'homme s'est implanté au creux des cassures qu'empruntent les cours d'eau. Ainsi, *Mortain* est-elle sise dans un passage que la Cance a percé au milieu des derniers vallonnements méridionaux de la Basse-Normandie. La ville s'étale à mi-pente entre la vallée et les sommets granitiques déchiquetés. Ruinée en quasi-totalité en août 1944, ses plus beaux trésors ont été cependant préservés : la collégiale Saint-Évroult et l'abbaye Blanche. L'austère collégiale Saint-Évroult (XIIIᵉ s.) se dresse au centre de la ville. «C'est là, écrit René Bazin, une admirable église, simple et un peu sévère quand on la regarde du dehors, pieuse et tendre quand on y pénètre. » Sa rudesse extérieure, elle la doit à son grès sombre et à sa façade dépouillée : trois grandes fenêtres en ogive au-dessus d'un simple portail. La tour-clocher, à toiture en bâtière, s'ouvre sur chaque face par deux étroites lancettes. Seule subsiste de la construction romane antérieure une petite porte où l'on retrouve les motifs décoratifs caractéristiques de l'art roman normand. La douceur intérieure de Saint-Évroult provient de la sobriété de la nef : ni transept ni triforium, de simples piliers cylindriques. Trésor unique de la collégiale : le «christmale»,

petite boîte en hêtre et cuivre du VIIᵉ siècle qui servait au transport des hosties, et dont les inscriptions runiques rappellent l'origine scandinave.

Dans un beau cadre de rochers, l'abbaye Blanche fut fondée au XIIᵉ siècle par l'ermite Vital pour des religieuses bénédictines. Son affiliation ultérieure à l'ordre cistercien se lit dans le plan très simple de la chapelle : un chevet plat et des chapelles aux bras du transept. Sont aussi à voir : la salle capitulaire (XIIIᵉ s.), l'ancien réfectoire et le

Promenade dans le Passais

Le Bocage domfrontais, que parfois l'on appelle *Passais*, allie curieusement la rudesse bretonne et la prospérité normande. Ici, des pierres, des forêts et des landes; là des vergers et de gras pâturages. Habité dès la période préhistorique, ce pays conserve des traces de cette lointaine occupation : des silex près de Loré, des menhirs et le dolmen de la Table du diable à Passais. Des légendaires chevaliers de la Table ronde et du roi Arthur, qui traversèrent la contrée, un site évoque le souvenir : la *Fosse-Arthour*, où la Crôle, descendue de la forêt de Lande-Pourrie, dévale en cascade une gorge chaotique. Le roc y est si abrupt qu'il attire les amateurs d'alpinisme.
C'est d'une époque plus tardive

que nous parle *Lonlay-l'Abbaye*, sise au bord de l'Égrenne. Au XIᵉ siècle, Guillaume de Bellême fit édifier en ces lieux une abbaye de bénédictins. Malgré les ravages des guerres, l'église est aujourd'hui encore digne d'intérêt. Bâtie en granite, elle n'a plus de roman que le transept. Le chœur et la tour-lanterne remontent au XIIIᵉ siècle, le porche au XVᵉ et les voûtes gothiques de la nef au milieu du XIXᵉ.
Fermes-manoirs et gentilhommières embellissent la promenade dans le Passais. *La Chaslerie*, un manoir du XVIᵉ siècle, s'ouvre par un porche abrité sous un auvent. Du manoir de *la Saucerie* subsiste une monumentale porte fortifiée (XVᵉ-XVIᵉ s.) qui mire ses deux tours rondes dans des fossés. À *Saint-Roch-sur-Égrenne*, la gentilhommière de Loraille surgit au

→

▲ *Lonlay-l'Abbaye :
l'église d'une abbaye bénédictine,
fondée au XIᵉ siècle
et aujourd'hui disparue.*

cellier, voûtés d'arêtes, ainsi qu'une galerie de cloître dont les arcades romanes reposent sur des colonnettes cylindriques. Aujourd'hui grand séminaire d'une congrégation de missionnaires, l'abbaye Blanche présente un original musée consacré au tiers monde.
Les environs immédiats de Mortain se prêtent à de jolies promenades. Ses sites ne séduisirent-ils pas des peintres tels Géricault, Corot et Courbet? Au cœur d'un sous-bois touffu où saint Vital avait son ermitage, la Grande Cascade bondit de rocher en

rocher, de 25 m de hauteur, en diffusant autour d'elle un véritable nuage d'embruns. Un autre délicieux petit sentier passe au pied du rocher de l'Aiguille, où s'entraînent les alpinistes, franchit le Cançon sur de larges dalles plates, avant de déboucher dans l'amphithéâtre rocheux de la Petite Cascade, où la rivière dévale en cascatelles, sur quelque 35 m de dénivellation.
De l'autre côté de la Cance, au-dessus de Mortain, une allée de sapins conduit, sur la colline de la Montjoie, à une petite chapelle dédiée à saint Michel. C'est de là que les pèlerins pouvaient apercevoir à l'horizon le but de leur expédition : sur la frange d'argent de la mer se dessine par temps clair, à plus de 40 km, la silhouette pyramidale du Mont-Saint-Michel (table d'orientation).
Voies d'eau sinueuses vers la baie du Mont-Saint-Michel, les vallées de la Sée et de la Sélune descendent de part et d'autre de Mortain en direction d'Avranches. Le long de la première, la route suit les détours pittoresques de la rivière bordée d'arbres. Sur la Sélune, le gros bourg de Saint-Hilaire-du-Harcouët continue d'assurer son rôle de ville-marché en dépit des sinistres de 1944. Les barrages de la Roche-qui-Boit et de Vézins retiennent deux beaux plans d'eau, prisonniers des granites armoricains.
À l'est de Mortain, *Domfront* s'est établie également dans une vallée, celle de la Varenne, qu'elle commande du haut d'une solide barre gréseuse. Cette cité doit ses origines à l'ermite saint Front, qui y fonda une chapelle au VIᵉ siècle. Autour de celle-ci, s'édifia peu à peu un village que Guillaume Iᵉʳ de Bellême fortifia au XIᵉ siècle, y créant une puissante défense contre les incursions des Manceaux et des Bretons. Sa force, Domfront la devait autant à son donjon et à sa double enceinte flanquée de vingt-quatre tours qu'à sa situation à 70 m au-dessus de l'étroite gorge du Val des Rochers où coule la Varenne.
La ville haute conserve sept tours massives imbriquées au milieu des vieilles maisons. Dernier vestige du château, l'angle de deux murs, épais de plus de 3 m et hauts de 28, dresse ses pans au-dessus du jardin public. De gros blocs de maçonnerie jonchent les pelouses en terrasses depuis que Henri IV ordonna de faire sauter la forteresse. Au fond d'une esplanade fleurie, un large panorama s'ouvre sur les pommiers et les poiriers du bocage, les forêts du pays de Passais et la croupe du mont Margantin, où le solstice d'été réunissait jadis tous les « sorciers » légendaires de la région et que l'Église « récupéra » en y fixant le but de la procession annuelle de Saint-Ernier. Quatre-vingts mètres en contrebas, la Varenne serpente vivement entre d'énormes blocs de rochers.
Au-dessus des rues étroites et encaissées de la citadelle, l'église Saint-Julien élève depuis 1926 sa silhouette résolument moderne : quatre grands arcs entrecroisés soutiennent la pyramide octogonale du

bout d'un chemin ombragé. La grâce du style Louis XIII est là, dans sa façade fleurie, sa tourelle pointue, sa haute cheminée — le tout entouré de vertes pelouses et de rosiers multicolores. *Torchamp*, de granite vêtu, a belle allure avec ses communs, sa chapelle et son pavillon du XVIIIᵉ siècle... Ces demeures, disséminées au milieu des champs, des clairières, des vallons, s'harmonisent merveilleusement avec le paysage bocain. ■

Bagnoles-de-l'Orne, station de la veine

Au cœur de la Normandie bocagère, *Bagnoles-de-l'Orne* est née d'une légende. Celle-ci prétend que Hugues, seigneur de Tessé, ayant perdu son vieux et fidèle destrier

▲ *Du promontoire du Roc au Chien, on voit Bagnoles-de-l'Orne et son établissement thermal.*

dans la forêt d'Andaine, le retrouva, moins d'un mois plus tard, plus fringant que jamais : l'animal s'était baigné dans la fontaine de Bagnoles. Le maître s'y plongea à son tour et recouvra la jeunesse. La réputation de ces eaux bienfaisantes se répandit alors...

Mais ce n'est qu'au XIXᵉ siècle que se développa l'établissement thermal. Certes encore bien rudimentaire, avec ses trois piscines dans lesquelles l'eau passait successivement — la première réservée aux hommes, la deuxième aux femmes, la troisième aux pauvres. En 1859, le premier hôtel fut bâti, donnant l'élan décisif à la station.

Que viennent chercher aujourd'hui les nombreux visiteurs qui affluent à Bagnoles, de mai à octobre? La Grande Source jaillit

clocher de ciment dont la lanterne offre un large tour d'horizon sur toute la région. À quelques pas de là, l'hôtel de ville abrite un petit musée où l'on remarquera des dessins de Charles Léandre, natif du pays, célèbre pour ses évocations du passé militaire de Domfront.

C'est peut-être pour se repentir de sa férocité guerrière que Guillaume Iᵉʳ de Bellême fit édifier, au bord de la Varenne, la si charmante église romane Notre-Dame-sur-l'Eau. Jusqu'au XIXᵉ siècle, la nef comptait six travées identiques et de larges collatéraux. Seules les deux travées les plus proches du transept ont survécu à la démolition, entreprise en 1836. Malgré ces mutilations, la chapelle de granite émeut par l'impression de sérénité qui se dégage de son chevet et de sa tour centrale carrée. Peu de décorations : une corniche à modillons autour du chœur, de simples baies géminées au second niveau du clocher. À l'intérieur, le chœur prolongé d'une courte abside s'anime à peine de deux niveaux d'arcatures aveugles. Là aussi, peu d'ornements : une torsade autour de la fenêtre axiale.

Le parc et ses eaux

De Domfront à Alençon, les ultimes contreforts du Massif armoricain déroulent, parmi les frais herbages de la Normandie, une longue vague de granite et de grès, couverte de mystérieuses forêts : 25 000 ha de bois, que le parc naturel régional « Normandie-Maine » se propose de mettre en valeur. Cette crête forestière, coupée de failles où se faufilent les rivières et où se nichent les petites cités, recèle un charme particulier, à la fois riant et sauvage.

Dieu merci! Le dernier loup de la *forêt d'Andaine* a été abattu à la fin du siècle dernier, et la Roche-au-Loup n'est plus, à la croisée de chemins, qu'un site offrant une belle vue sur les fondaisons. En revanche, le « Gué-aux-Biches » n'est pas un vain titre. Cerfs, chevreuils et sangliers se plaisent en ces lieux, et on les chasse en grande pompe. La chasse n'est toutefois pas le seul attrait de ce massif, dont l'aménagement remonte au XVIIᵉ siècle, époque où il alimentait les fours à bois utilisés dans les exploitations de minerai de fer et les verreries alentour. Aujourd'hui, vaste de 3 950 ha, la forêt d'Andaine étale, sur environ 13 km d'ouest en est et sur 7 à 8 km de largeur, un beau peuplement de chênes, hêtres, bouleaux, pins sylvestres (chaque jour, les résineux gagnent du terrain sur les feuillus). Sous les pins prospèrent bruyères et fougères.

Routes forestières et simples « sommières » de terre, sentiers piétonniers et itinéraires équestres quadrillent les bois. La route du Mont-en-Géraume est dessinée sur la plus haute crête qui culmine à 300 m. Maints autres chemins convergent vers les carrefours de l'Étoile et des Sept-Frères, notamment. Depuis la chapelle Sainte-

Geneviève, on découvre la grêle silhouette du « phare de Bonvouloir ». Vestige d'un château fortifié de la fin du XVᵉ siècle, cette tour de guet, haute de 26,50 m, a encore fière allure avec ses pierres rousses irrégulières, ses mâchicoulis et sa toiture en cloche. Par la route du Faîte, probablement ancienne voie gauloise, on atteint le Lit de la Gione, dolmen curieusement dressé au milieu des ajoncs (« gions » en patois).

Bien que plus petite (1 378 m), la *forêt de la Ferté,* voisine, est, elle aussi, pleine d'agréments. La forêt de la Motte et celle de la Monaye la continuent vers le sud-est. On peut flâner dans la vallée de la Cour, près du paisible plan d'eau formé par la Maure, affluent de la Courbe. À moins que l'on ne préfère la promenade des gorges de Villers, où la Courbe s'encaisse entre d'imposants escarpements couronnés de bruyères.

Enchâssée entre les forêts d'Andaine et de la Ferté, *Bagnoles-de-l'Orne* s'est développée au bord de la Vée, là où la rivière forme un petit lac entre des versants parés de sapins. On oublierait, ici, que l'on est en Normandie, car le paysage est presque vosgien. Sans doute le site a-t-il contribué à la renommée de la station, connue par ailleurs pour les vertus de ses eaux. Les curistes les plus rebelles à la marche sont tentés de suivre l'allée du Dante, dont les ombrages épousent la rive gauche de la Vée jusqu'au lac. Quant aux plus courageux, ils grimpent allègrement jusqu'au Saut du Capucin. Ce roc légendaire doit son nom à un moine qui, guéri, aurait franchi d'un bond les 4 mètres séparant deux rochers. Sur la rive droite de la Vée, le Roc au Chien émerge étrangement des sapins et découvre un intéressant point de vue sur Bagnoles. Plus loin, le *château de la Roche-Bagnoles* dresse son ensemble de pierre, de brique et d'ardoise au milieu d'un parc. Bien que seulement vieux d'un siècle et demi, il est empreint d'un certain romantisme avec ses clochetons et ses tourelles.

Des manoirs aux grands bois

Très différent apparaît le *château du Fai* à Couterne, aux portes de Bagnoles. Édifié au XVIᵉ siècle par Jean de Frotté, secrétaire particulier de Marguerite d'Angoulême, agrandi de deux pavillons symétriques au XVIIIᵉ siècle, il appartient toujours à la famille du chef chouan Louis de Frotté. La façade, à peine animée par deux tours coiffées de frontons triangulaires et de cloches, se mire dans les eaux dormantes d'une grande pièce d'eau. La brique et le granite des murs s'harmonisent avec les iris dorés du parc.

De l'autre côté de la forêt, vers le nord, *La Ferté-Macé.* Seules quelques appellations locales permettent de se souvenir que la butte sur laquelle elle s'est établie était au Moyen Âge couronnée d'un

d'un rocher de granite à une température constante de 25 °C et débite 12 000 hectolitres par jour. Ses eaux, faiblement minéralisées, révèlent une radioactivité exceptionnelle. Leurs qualités curatives concernent les insuffisances veineuses, les suites de phlébites, les varices, de même que la cellulite, les séquelles de fractures. Aux vertus du traitement, qui consiste essentiellement en bains, douches, pulvérisations et, accessoirement, recourt à la boisson, s'ajoutent les effets bénéfiques du climat, sédatif et relaxant. Avec ses promenades à pied et à cheval dans le vaste massif forestier d'Andaine, son lac sillonné de Pédalos, son casino au charme vieillot, Bagnoles n'est pas seulement un lieu de cure renommé, mais aussi une agréable station de vacances. ■

▲ *Étrange architecture évoquant un minaret, le phare de Bonvouloir, vestige d'un château médiéval.*

Domfront :
le château fort a été rasé
et il ne reste que deux imposants
▼ *pans de murs du donjon.*

Des richesses naturelles protégées

Créé par décret interministériel du 23 octobre 1975, le *parc naturel régional «Normandie-Maine»* réunit, sur une superficie de 234 000 ha, 152 communes appartenant aux départements de l'Orne, de la Manche, de la Mayenne et de la Sarthe. De Mortain au Mêle-sur-Sarthe, des environs d'Argentin à Sillé-le-Guillaume, cette vaste zone protégée couvre l'ensemble des grandes forêts qui parent les vallonnements aux confins de la Normandie et du Maine : massifs d'Écouves, d'Andaine, de Perseigne, de Pail, de Sillé… Soit 45 200 ha de peuplements forestiers, autour desquels s'ordonnent de profondes vallées, des gorges étroites, des crêtes rocheuses (parmi elles, les

⟶

château. Aujourd'hui, on ne s'arrête plus dans cette petite ville animée que le jeudi, jour de marché, ou pour goûter les tripes en brochettes ou au calvados.

À l'est de Bagnoles-de-l'Orne, le *château de Carrouges* n'a pas changé de maîtres entre le XVᵉ siècle et le moment où la famille Le Veneur de Tillières le céda à l'État (1936). Bâti en deux siècles, apparemment sans plan d'ensemble, Carrouges ne connaît qu'un facteur d'unité : la chaude couleur de la brique encadrée de granite. Le châtelet d'entrée du XVIᵉ siècle, édifice gothique flanqué de fines tourelles d'angle, ne ressemble en rien au château lui-même, qui serre entre ses larges douves gazonnées un enchevêtrement hétéroclite de toits et de tours aux pentes multiples. Depuis le XVIIIᵉ siècle, une balustrade de pierre entoure les fossés et une grille ouvragée s'ouvre sur la terrasse. À l'intérieur, au fil du monumental escalier d'honneur, l'ombre et la lumière jouent sur les voûtes de brique. Les lourdes boiseries et les portes sculptées des pièces d'apparat prêtent leur cadre au mobilier Louis XIII, Louis XIV, Louis XV et Louis XVI.

À quelques kilomètres au nord-est de là, le porche de l'ancien prieuré *Saint-Michel de Goult* porte encore sur ses chapiteaux romans des combats d'animaux et des scènes de chasse médiévales. Par temps clair, il faut monter au-dessus des vieilles maisons du village pour embrasser du regard le bois de Goult, les aimables versants de la vallée de la Gance et la campagne d'Argentan, hérissée de plus de vingt clochers.

Parmi les futaies du parc

Plus à l'est, le parc naturel régional «Normandie-Maine» englobe un important massif forestier qui couvre, à lui seul, une superficie de 8 175 ha d'un seul tenant, et près du double avec ses dépendances. C'est la *forêt d'Écouves,* aux magnifiques futaies. Jadis, elle était plus dense. Mais elle fut peu à peu élaguée, essartée pour les besoins des agriculteurs et des bâtisseurs. Aujourd'hui, le boisement ne subsiste plus que sur les pentes les plus raides et les sols les plus impropres à la culture. Soigneusement entretenue, la forêt domine toujours de sa mosaïque de verts la plaine d'Alençon. Si les hêtres et les chênes y sont les plus nombreux, les grandes sapinières, évocatrices des Vosges ou de la Forêt-Noire, ont aussi conquis leurs lettres de noblesse, telle la sapaie Pichon, du nom du forestier qui adapta, à la fin du siècle dernier, le sapin pectiné à la forêt d'Écouves.

Nous sommes ici sur les «cimes» de la France de l'Ouest. Le signal d'Écouves partage avec le mont des Avaloirs le record d'altitude de Normandie : 417 m. Mais aucun belvédère, nulle échappée ne laissent le regard s'élever au-dessus des frondaisons. En revanche, depuis le

deux points culminants de la France de l'Ouest : le mont des Avaloirs et le signal d'Écouves). Mais ce n'est pas la nature seule qui a forgé ces paysages; l'homme s'y est créé un univers à sa mesure, en essartant la forêt sur les sols les plus fertiles et les moins escarpés, en abritant ses champs derrière d'épaisses haies, en quadrillant les terres de mille chemins creux, en organisant ses maisons en petits hameaux disséminés ici et là. Ainsi naquit le « Bocage », avec sa fraîche verdure.

Aujourd'hui, la « Charte » qui lie les communes participant à l'œuvre de sauvegarde du parc définit les objectifs suivants :
— développer les activités fondamentales agricoles, forestières, artisanales, commerciales et industrielles assurant une économie dynamique;

▲ *Le prieuré de Saint-Michel de Goult,*
dont le porche roman
a conservé ses chapiteaux sculptés.

— créer des activités nouvelles destinées à faire comprendre aux citadins les problèmes spécifiques du monde rural;
— développer et améliorer le cadre de vie de l'agriculture;
— concilier dans les forêts exploitation et attrait touristique;
— prendre en considération, dans les implantations industrielles, la préservation de la qualité des sites;
— mettre en œuvre une politique d'accueil;
— mettre en valeur le patrimoine culturel caractéristique de la région;
— favoriser la recherche scientifique et l'initiation des jeunes à la connaissance des équilibres naturels.

Pour faciliter la découverte de ce riche patrimoine naturel que se partagent les régions de Basse-Normandie et des Pays de Loire,

Au milieu des hêtres et des sapins
de la forêt d'Écouves,
▼ *une petite route accidentée...*

petit sentier des rochers du Vignage — roches sur lesquelles s'entraînent les alpinistes du dimanche —, de grandes percées permettent de découvrir les horizons vallonnés et boisés de cette partie du Bocage, de la butte Chaumont à la forêt de Perseigne.

Des routes étroites, sinueuses, seulement empierrées, s'enfoncent à la découverte des futaies. Elles se rejoignent pour former des carrefours en étoile, dont certains ont gardé leurs vieilles bornes de pierre, telle la Croix-Madame des fûts serrés d'une épaisse sapaie, telle la Croix de Médavy, où le char « Valois », immobilisé sur son piédestal, rappelle la percée victorieuse de la 2e division blindée en août 1944 et les ultimes combats de la bataille de Normandie.

Cette forêt d'Écouves connaît encore les grandes chasses à courre qui en hiver sonnent l'hallali des cerfs et des sangliers aux abois. Ces scènes d'un autre temps attirent autant de spectateurs que de chasseurs.

Plus petite que celle d'Écouves, mais offrant des futaies plus profondes et des vallonnements plus encaissés, la *forêt de Perseigne* limite la « campagne » d'Alençon de l'autre côté de la ville, aux confins du Perche. Là aussi, des chênes, des hêtres, des sapins. Sillonné par près de 40 km de circuits équestres, traversé par le sentier de grande randonnée qui relie Paris au Mont-Saint-Michel, jalonné d'aires de pique-nique, ce massif constitue un très attrayant but de promenade. Parmi ses sites les plus recherchés : l'aventureuse vallée d'Enfer, au fond de laquelle un ruisseau court sous les chênes séculaires. À l'entrée du Val, quelques ruines émergent de la verdure, dernières traces de l'abbaye fondée au XIIe siècle par un comte d'Alençon. Au hasard d'un chemin, une échappée sur le pays d'Alençon. Mais c'est du signal de Perseigne, à 340 m d'altitude, que la vue est la plus étendue. « Par un jour d'orage, écrivait Édouard Herriot, tout le paysage s'embrume, des brouillards enveloppent la prairie... Il est sensible que cette terre fut livrée aux deux grandes forces de la nature : la forêt et la mer... »

La discrète cité des Marguerite

Il y a deux mille ans, *Alençon* était déjà une petite bourgade établie sur un gué de la Sarthe, au milieu d'une riche campagne. Elle fut, en 911, rattachée au duché de Normandie, nouvellement créé par le traité de Saint-Clair-sur-Epte, puis donnée aux seigneurs de Bellême. Et, au début du XIIIe siècle, le comté fut rattaché à la couronne de France, avant d'être érigé en duché en 1415. Pendant la guerre de Cent Ans, le comte Pierre II combattit aux côtés du roi de France et de Du Guesclin. Il fit édifier la plus grande partie du château fort, dont subsistent aujourd'hui l'insolite « tour Couronnée », composée de

une animation extrêmement variée a vu le jour. Elle met l'accent sur les activités de plein air : voile, canoë-kayak, pêche, randonnées pédestres et équestres, cyclotourisme... Pour apprendre à connaître et comprendre le milieu humain, des expositions sur le folklore et les traditions du terroir sont organisées. Les thèmes choisis : « vieux métiers de la forêt », « les quatre saisons au temps du cheval », « le cidre et le calvados », « les noces paysannes », « les métiers perdus du Bocage », etc. À cela s'ajoutent des équipements, comme la maison de la Forêt, le musée des Arts et Traditions populaires, la maison du Parc, qui répondent bien à ce souci de valoriser les « atouts naturels », culturels et artistiques d'un pays qui, pour avoir été longtemps replié sur lui-même, est à l'heure actuelle méconnu, et même méjugé. ■

▲ *La forteresse féodale d'Alençon, très restaurée, fait office de prison.*

Falaise, ville ducale

Au-dessus de la profonde vallée de l'Ante et face au mont Myrrha, à l'extrémité d'un promontoire rocheux, se dresse la puissante silhouette du château de *Falaise.* Un donjon rectangulaire du XIIᵉ siècle, dont les murailles furent arasées au XVIIIᵉ, un petit donjon qui le jouxte, la tour Talbot (XIIIᵉ s.), cylindrique et haute de 35 m, qu'une courtine rattache au petit donjon : cette forteresse médiévale, enfermée dans des remparts du XIIIᵉ siècle, jadis cantonnés de 14 tours, évoque le souvenir de Guillaume le Conquérant, qui y serait né en 1027, des amours de la jolie Arlette, fille d'un tanneur, et de Robert, fils cadet de Richard II, duc de Normandie. Près de la rivière, la fontaine du val d'Ante, où la jeune fille venait fouler

→

Juchée sur une éminence, l'église romane de Saint-Céneri-le-Gérei, avec son gros clocher
▼ *à baies géminées et toit en bâtière.*

deux tours superposées, et les deux puissantes tours crénelées de l'entrée. Leur sévérité est adaptée à la fonction actuelle de l'édifice qui, depuis le XVIIᵉ siècle, sert de prison.

Au début du XVᵉ siècle, Alençon fut occupée par les Anglais, puis délivrée par le « gentil duc » Jean II, compagnon d'armes de Jeanne d'Arc. La cité connut alors son âge d'or. De cette époque florissante, de vieux logis nous apportent le témoignage. L'altière maison d'Ozé, aujourd'hui musée, accueillit Henri IV derrière ses grandes fenêtres à meneaux. Dans le quartier Saint-Léonard, d'autres maisons médiévales, dont celle du Tour à Ban, ont gardé pans de bois, escaliers à vis, encorbellements et même leur original « étal ».

Plus encore que leurs époux, les duchesses d'Alençon participèrent à la renommée de la ville. La pieuse Marguerite de Lorraine, devenue veuve, embellit la cité en faisant construire le couvent des Clarisses. L'église Saint-Léonard doit à ses libéralités son élégante nef flamboyante. Le porche flamboyant, à trois arcades gothiques, de l'église Notre-Dame appartient à cette même époque. Inspirée de Saint-Maclou de Caen, cette œuvre de Jean Lemoine se pare de mille guirlandes de pierre. Détail curieux : dans la scène de la Transfiguration, sculptée au-dessus de l'arcade centrale, saint Jean tourne le dos — cette posture est rare. À l'intérieur, l'élévation de la nef contraste avec la lourdeur du chœur. De très belles verrières du XVIᵉ siècle relatent des scènes de l'Ancien Testament et de la vie de la Vierge. La tour polygonale du tribunal de commerce, la salle d'audience, décrite si minutieusement par Balzac dans *le Cabinet des antiques,* appartiennent également au siècle de Marguerite de Lorraine.

Puis, la sœur de François Iᵉʳ, Marguerite d'Angoulême, devint duchesse d'Alençon. Elle y entretint une cour lettrée où brilla le poète Clément Marot.

Mais la Réforme entraîna le démantèlement partiel du château et marqua le début d'une longue stagnation. Certes, à la fin du XVIIᵉ siècle, un certain éclat fut encore donné à la ville par la duchesse de Guise, qui installa sa cour dans l'harmonieux hôtel de briques roses utilisé aujourd'hui par les services préfectoraux. Mais ce fut éphémère. L'élan donné par Colbert à l'industrie de la dentelle ne résista pas à la modernisation des techniques, et le chemin de fer, en évitant Alençon, condamna la ville.

Au-delà des souvenirs de son riche passé, pour compléter la visite d'Alençon, il faut voir la bibliothèque et le musée de peinture. La bibliothèque, établie dans l'ancienne chapelle des Jésuites (XVIIIᵉ s.), garde, sous son toit en carène de navire, de très riches collections de manuscrits et d'incunables, présentées dans des boiseries de chêne sculpté provenant de la chartreuse du Val-Dieu. L'hôtel de ville, quant à lui, s'abrite dans un beau bâtiment classique, dont l'élégante façade courbe tempère la rigidité du fronton rectangulaire et des

le linge, rappelle cette idylle.

Fidèle à sa ville natale, Guillaume l'embellit et l'enrichit. Favorisant l'essor commercial de la cité, il créa la foire de Guibray, particulièrement réputée comme foire aux chevaux. Mais cela appartient désormais au passé. Il reste, cependant, la belle église romane Notre-Dame de Guibray qui, malgré des transformations intérieures, reste admirable pour la pureté des arcatures aveugles de la nef. La même simplicité romane normande se retrouve dans la tour-lanterne de l'église Saint-Gervais. Ici, les apports successifs se mêlent heureusement : le gothique de l'abside et du bas-côté nord côtoie de jolie façon le roman du bas-côté sud.

Sur la place Guillaume-le-Conquérant, où s'élève la statue équestre du duc, l'église de la Trinité a mal supporté les intempéries ainsi que les bombes de la dernière guerre : la dentelle Renaissance de son chevet est dégradée. Toutefois, on remarquera l'originalité de son porche Renaissance à la voûte caissonnée, le porche gothique de la façade ouest et les fines colonnettes de sa nef. Les environs de Falaise offrent d'agréables promenades. La vue que l'on a du mont Myrrha sur le château justifie l'« ascension »…, bien facile d'ailleurs. À 4 km seulement, *Noron-l'Abbaye* possède une église du XIIIe siècle surmontée d'un beau clocher roman à deux étages. Au nord de Falaise, deux châteaux du XVIIIe siècle retiennent l'attention : celui d'*Assy*, avec son élégant péristyle à colonnes corinthiennes, et celui de *Versainville*, qui évoque Versailles

▲ *Des eaux rapides,*
des rives parées de verdure…
la Sarthe à Saint-Léonard-des-Bois,
dans les Alpes mancelles.

pilastres symétriques. À l'intérieur, un musée de peinture de grande qualité, dont Géricault, Philippe de Champaigne, Courbet, Chardin et Ribera sont les hôtes les plus illustres.

Aux franges du Maine

L'appellation d'*Alpes mancelles* pour des sommets ne dépassant pas 417 m d'altitude peut prêter à sourire. Et pourtant, au sud-ouest d'Alençon, autour de la profonde vallée de la Sarthe, s'ordonnent des paysages quasi « alpins » avec gorges, escarpements, à-pics et pentes dénudées. Des noms charmants invitent au voyage : Saint-Pierre-des-Nids, Saint-Léonard-des-Bois, Saint-Julien-des-Églantiers. La Sarthe aux aspects changeants accroît le charme : tantôt elle bondit, tonitruante et joyeuse, entre des blocs de grès d'où s'échappent bruyères et ajoncs ; tantôt elle s'étale parmi les herbages, ponctuée de nénuphars, à l'ombre des peupliers et des saules.

À *Saint-Léonard-des-Bois,* au cœur des Alpes mancelles, quatre collines, pentues et boisées comme des montagnes, enserrent une boucle encaissée de la Sarthe, où la rivière est encore torrentueuse. Perches et goujons, truites et brochets attirent les pêcheurs. Des sentiers balisés s'offrent aux promeneurs. L'un d'eux mène à la sauvage vallée de Misère, dont les éboulis rocheux surprennent dans cette région où règne une douceur toute bucolique. À mi-chemin, on peut contempler les fenêtres Renaissance et les hauts toits du manoir de Linthe, et, du sommet de la colline, la silhouette hardie de la butte Chaumont (378 m) au nord, tandis qu'au sud on distingue par temps clair la cathédrale du Mans.

Saint-Céneri-le-Gérei n'est pas loin. On gagne ce charmant village en suivant à pied la rivière, que l'on traverse sur des chapelets de pierre, vestiges des anciens passages à gué. Lieu de culte très ancien, ermitage au VIIe siècle, forteresse jusqu'à la guerre de Cent Ans, Saint-Céneri doit sa renommée à son église romane perchée sur un escarpement granitique. À l'intérieur, le badigeon du XIXe siècle a en partie épargné les merveilleuses fresques naïves du XIVe qui ornent le chœur, le transept et l'une des absidioles. Y sont représentés un Christ en majesté, des scènes de la vie de saint Céneri et du Nouveau Testament. Le chevet de l'église, avec son clocher carré et ses absidioles rondes, le vieux pont sur la Sarthe et les camaïeux de la verdure ont, de tout temps, séduit les peintres, Corot entre autres. Au beau milieu d'un herbage, près de la Sarthe, un petit oratoire gothique marque l'endroit où priait saint Céneri. À côté de l'autel se trouve ce qui fut, dit-on, le « lit » de l'ermite, un bloc de granite.

Au nord-ouest, à la lisière des molles ondulations de la forêt de Multonne se dresse le mont des Avaloirs, l'un des points culminants de la France de l'Ouest — avec le signal de la forêt d'Écouves. Un belvédère métallique permet de dépasser le faîte des sapins : les forêts d'Écouves et de Perseigne, les collines du Perche ferment l'horizon. Autre panorama depuis la route qui longe à flanc de coteau la corniche du Pail : on découvre le bassin de la haute Mayenne, avec, dans le lointain, la ligne sombre de la forêt d'Andaine et le cône du mont Margantin.

La Suisse normande

Le Bocage normand aurait-il des allures de « Petite Suisse »? L'appellation « Suisse normande », donnée à la vallée de l'Orne entre la région de Putanges et la forêt de Cinglais, fait aujourd'hui un peu cliché touristique. Mais elle est à peine usurpée. Dans cette province, que l'on imagine toujours paisible et prospère, il est surprenant de découvrir des sites âpres et sauvages. Le cours sinueux de l'Orne a gravé, dans l'avancée extrême du vieux massif armoricain, une profonde entaille aux versants abrupts. Parfois, entre les hautes parois rocheuses auxquelles s'agrippent bois et broussailles, le fleuve dévale en torrent. Plus loin, il s'assagit et s'assoupit au creux d'une prairie semée de pommiers. De part et d'autre de cette pittoresque vallée, les paysages sont presque « montagnards ». Les affluents de l'Orne (Rouvre, Vère, Baise) décrivent des méandres encaissés. Alentour, la campagne est accidentée de buttes comme le mont Pinçon et le mont Saint-Clair. De bien modestes « montagnes », puisqu'elles atteignent respectivement 365 m et 306 m, mais d'intéressants belvédères qui offrent de larges panoramas sur les frais horizons bocagers.

Ce coin de Normandie au relief tourmenté a de quoi satisfaire tous les amateurs de vraie nature. Sur les falaises, les alpinistes se mesurent au vide. Dans les tourbillons et l'écume des défilés, les adeptes du canoë-kayak trouvent un parcours idéal. Randonneurs et pêcheurs goûtent aussi cet univers de rochers, de verdure et d'eaux courantes, où se nichent de charmants villages.

La première de ces coquettes localités est *Putanges-Pont-Écrepin,* une petite cité sur l'Orne où l'on fondait les canons avant la Révolution et qui abrite, dans sa vieille église du XIIIe siècle, un beau retable du XVIIIe. C'est un agréable point de départ pour la découverte de vestiges préhistoriques — tels ces menhirs de la Belle Pierre, de la Rousselière… qui témoignent de l'antique peuplement de la contrée — ou pour celle de charmants châteaux seigneuriaux, souvenirs d'un passé moins lointain. Ici, le *manoir de Crèvecœur,* du XVIe siècle, flanqué de grosses tours rondes à toit en poivrière. Là, le *château du Repas,* de style Henri IV, qui dresse, depuis le début du XVIIe siècle,

églises et abbayes
du pays normand

◄ *Chevet de l'église Saint-Étienne*
de l'abbaye aux Hommes de Caen :
une répartition harmonieuse
de volumes arrondis et verticaux
accompagne l'envol des tours
de la façade.

▲ *Abbaye aux Dames de Caen :*
la façade robuste et trapue
de l'église de la Trinité,
de pur style roman.

Colonnes trapues ►
à chapiteaux sculptés,
la crypte romane
de l'église de la Trinité
(abbaye aux Dames de Caen).

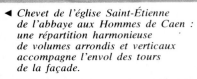

La richesse monumentale de la Normandie
trouva son expression la plus originale
à l'époque romane
dans d'admirables églises abbatiales
aux lignes pures,
aux proportions hardies,
au décor dépouillé.

◄ *Des prairies à l'herbe drue,*
une rivière qui serpente
entre les peupliers :
la vallée de la Touques,
en pays d'Auge.

▲ *Statue de pierre du XVᵉ siècle :*
saint Vigor, évangélisateur
du Bessin et fondateur
de la première abbaye de Cerisy.

Amputée de quelques-unes ▶
de ses travées au siècle dernier,
la haute nef, couverte
d'un «plafond normand» en chêne.

La forme ramassée de l'édifice ▶▶
accentue la puissance
de son élévation.

À l'orée d'une forêt,
l'église abbatiale
de Cerisy
reflète tout le génie
de l'école romane
de Normandie.
Des restaurations récentes
lui ont rendu
le caractère majestueux
que voulurent
ses constructeurs.

C'est au XIIIe siècle qu'à l'architecture
traditionnelle normande vient se mêler
le raffinement gothique.
Les proportions s'allègent,
les lignes s'étirent à l'extrême.
La cathédrale de Coutances en est l'un
des plus remarquables exemples,
« un prodige de l'art », disait Vauban.

Flanquée de clochetons,
percée de baies étroites,
prolongée par une flèche,
▼ une des tours de la façade.

Le chevet, armé d'arcs-boutants, ▶
s'étage au pied
de la haute tour centrale,
appelée « le Plomb ».

◄◄ *Les deux tours de la façade, renforcées de contreforts puissants, lancent vers le ciel leurs élégantes flèches gothiques.*

◄ *Motifs géométriques, feuillage stylisé, figures étranges : sculpture spécifiquement normande des arcades romanes de la nef.*

Bas-relief de la nef figurant un évêque, probablement Odon de Conteville, demi-frère de Guillaume le Conquérant.
▼

La virtuosité des artistes normands a donné à Bayeux une étonnante cathédrale, chef-d'œuvre d'équilibre et de pureté, où roman et gothique se superposent harmonieusement.

Ruines de ce qui fut, ►
jusqu'à la Révolution, l'une des plus belles églises romanes de Normandie, l'abbatiale Notre-Dame de Jumièges : la nef, qu'un pan de mur sépare de la croisée du transept, et la façade encadrée de tours octogonales ajourées.

▲ *Nef romane, chœur gothique
et majestueuse tour-lanterne :
vestiges de Notre-Dame d'Hambye,
dans la vallée de la Sienne.*

Caux, Ouche, Perche, Auge, Bessin, Cotentin..., les pays qui composent la Normandie connurent leur première organisation sous l'occupation romaine : des routes furent alors tracées, des monuments construits. À partir de la fin du IIᵉ siècle, la christianisation vint renforcer un certain sentiment d'unité, et l'Église prit peu à peu en main la politique d'aménagement entreprise par les occupants. Grâce aux dons des princes mérovingiens, monastères et abbayes se multiplièrent en Neustrie; Saint-Wandrille, Jumièges remontent à la domination franque.

Malheureusement, très peu de vestiges de ces périodes prospères nous sont parvenus : les riches bâtiments religieux furent ruinés par les envahisseurs scandinaves, les redoutables « Northmen » qui, au début du IXᵉ siècle, mirent le pays à feu et à sang. Ils ne rencontrèrent guère de résistance, car les successeurs de Charlemagne étaient occupés à se disputer son empire et les seigneurs-prélats de la Neustrie préférèrent s'enfuir. En l'an 911, à la faveur d'un succès éphémère, Charles le Simple conclut avec Rollon le traité de Saint-Clair-sur-Epte : le chef des Normands s'engageait à cesser le pillage et à se convertir, en échange de quoi lui étaient accordés le titre de duc et la possession du territoire couvrant les diocèses de Rouen, d'Évreux et de Lisieux. Baptisé à Rouen sous le nom de Robert, il devint le défenseur de l'ordre et l'allié de l'Église, ce qui lui rapporta la région de Vernon, les diocèses de Bayeux, du Mans et de Sées : le duché de Normandie était né.

Art normand, art roman

Dès qu'ils furent baptisés, Rollon et ses soldats mirent autant de zèle à bâtir églises et abbayes qu'ils avaient mis d'ardeur à les détruire. Génération après génération, les ducs de Normandie transformèrent leur pays en un État puissant. Devenus bienfaiteurs de l'Église, ils s'assurèrent ainsi de son aide pour maintenir leur autorité. Rollon fut généreux envers l'abbaye du Mont-Saint-Michel. Son fils, Guillaume Longue-Épée, répara l'abbaye de Jumièges. Richard Iᵉʳ entreprit la construction de l'abbatiale de Fécamp. Ainsi, du début du XIᵉ siècle à la fin du XIIᵉ, se développa un art architectural si renommé que, pendant longtemps, on appela « normand » le style « roman ».

Au début, façades et murs demeurent massifs, les ouvertures en plein cintre sont rares, les contreforts plats, et les grands sanctuaires conservent les caractéristiques des premières petites églises. La décoration est réduite : l'homme et l'animal n'apparaissent qu'à l'extérieur, sur des modillons; les sculpteurs normands leur préfèrent dents de scie, chevrons, cordons à boudins, étoiles, en particulier pour le portail principal.

De part et d'autre de ce portail, deux tours carrées dessinent avec le pignon central une façade plate, dite « harmonique ». La recherche de l'architecte porte essentiellement sur l'équilibre des volumes et des proportions. Le plan d'ensemble, simple lui aussi, se compose d'une large nef — l'ampleur s'explique par l'adoption de la voûte de bois — de deux bas-côtés étroits, d'un chœur allongé, et, le plus souvent, d'un transept. À la croisée de ce transept s'élève, dans les édifices majeurs, un clocher percé de baies qui éclaire généreusement l'intérieur de l'église.

L'église normande ne mérite pas, en effet, la réputation d'obscurité des églises romanes. La blancheur des pierres calcaires de la région de Caen et, plus encore, les ouvertures qui se multiplient dans ses élévations contribuent à sa luminosité. N'ayant pas à supporter de lourdes voûtes de pierre, les murs latéraux, très élevés, s'évident en galeries de circulation, tribunes et triforiums, surmontés de baies multiples. Pour les arcatures en plein cintre, la seule fantaisie est dans l'alternance régulière de piles fortes et de piles faibles.

Ces églises, très sobres, grandes, et parfois même gigantesques, sont à l'image de leurs commanditaires et de leurs maîtres d'œuvre : la rudesse et l'esprit de domination des ducs côtoient la rigueur des bénédictins qui eurent la charge des premières abbayes.

Les joyaux romans de Caen

À *Caen*, capitale de la Basse-Normandie, que Guillaume le Bâtard et son épouse Mathilde de Flandre choisirent pour être le reflet de leur puissant empire, l'art roman apparaît dans toute sa splendeur. Condamnés par le pape pour s'être mariés alors que des liens de parenté les unissaient, le duc et la duchesse s'engagèrent, pour se racheter, à fonder deux abbayes : l'abbaye aux Dames (la Trinité) et l'abbaye aux Hommes (Saint-Étienne).

Remaniée plusieurs fois aux XIIIᵉ, XVIIᵉ, XVIIIᵉ siècles, mais toujours dans le plus grand respect de l'œuvre originale, l'*église Saint-Étienne* est le symbole de la sévère grandeur normande. La façade d'abord : imposante, dépouillée à l'extrême, elle s'appuie sur quatre puissants contreforts, dénués de fioritures, et aligne ses deux tours sur le portail principal. Massives et carrées à leur base, les tours s'aèrent peu à peu en s'élevant vers le ciel; au XIIIᵉ siècle, de fines flèches de pierre ont remplacé les flèches en charpente, et leur simplicité parachève l'élan de l'ensemble.

Toute blanche, simplement rythmée par l'alternance des piles fortes et des piles faibles, la nef est largement ouverte. Aux premier et second niveaux, de grandes arcades en plein cintre donnent les unes sur de vastes tribunes, les autres sur de larges collatéraux. En haut,

Capitale et ville d'art

Assise au milieu d'une immense plaine de cultures, reliée à la mer par un canal de 14 km parallèle au cours de l'Orne, et, de par cette situation, moins soumise que Rouen à l'influence de Paris, *Caen* a été appelée au rang de capitale de la Basse-Normandie. Cité industrielle, port actif, elle est en même temps le centre artistique et culturel de la province. Bien que les bombardements de 1944 l'aient détruite à 75 p. 100, elle a su renaître de ses cendres et le phénix de bronze, érigé devant son université, est le parfait symbole de sa reconstruction.

À l'origine, Caen n'était qu'un îlot fortifié au confluent de l'Orne et de l'Odon. Guillaume le Bâtard, dit « le Conquérant », en fit une cité, la

dotant de grands monuments : les belles abbayes romanes qui ont été préservées; le château fort, un des plus vastes de France. Cette forteresse, complétée par les successeurs de Guillaume, composait un ensemble imposant dont restent quelques vestiges : l'enceinte avec chemin de ronde — datant de Philippe Auguste —, d'où l'on domine la ville, blonde de pierre et brune de toits; la salle de l'Échiquier, romane, édifiée par Henri Beauclerc, fils de Guillaume; les substructions du gros donjon rectangulaire; la chapelle Saint-Georges (XIIᵉ-XVᵉ s.). L'ancien logis des gouverneurs, d'allure classique, abrite un musée de Normandie où est recréé le cadre social, politique et culturel de la vie dans ce château au cours des siècles. À l'intérieur de l'enceinte aussi, mais dans un

▲ *Caen : de vieux logis à pans de bois et le clocher de l'église Saint-Sauveur, miraculeusement épargnés lors de la dernière guerre.*

Dominé par les tours de l'église Saint-Étienne, le cloître de l'abbaye
▼ *aux Hommes de Caen (XVIIIᵉ s.).*

l'adoption de la voûte d'ogives a modifié la disposition primitive, mais l'étroite galerie de circulation demeure. La tribune se poursuit autour du transept, à la croisée duquel la gigantesque tour-lanterne du XIᵉ siècle fut reconstruite de façon plus modeste au XVIIᵉ.

Près de la basilique s'allongent les anciens bâtiments conventuels, reconstruits au XVIIIᵉ siècle, d'où, à travers un jardin fleuri, le regard s'envole de clocher en clocher au-dessus de la cité moderne.

De l'autre côté de la ville, *la Trinité*, plus petite, plus décorée, est la réplique féminine de Saint-Étienne. Davantage éprouvée par les secousses de l'histoire et moins bien conservée, elle n'a pas la même unité. Les deux tours de la façade semblent écrasées par les balustrades classiques, et un regrettable tympan fut ajouté, au XIXᵉ siècle, au-dessus du portail principal. Dans la longue nef, les trois niveaux sont de très inégale importance : en bas, les grandes arcades occupent près de la moitié de l'espace; le second étage se compose de fines arcatures aveugles; au-dessus, la traditionnelle galerie de circulation se glisse dans l'épaisseur des murs, devant les baies qui éclairent la voûte sixpartite. Dans la douce pénombre de la crypte, au milieu de la forêt de ses sobres colonnes, on ressent cette émotion que seule la pureté romane peut procurer.

La découverte de la croisée d'ogives

Pour asseoir son autorité sur l'Angleterre, conquise par lui en 1066, le duc Guillaume le Bâtard y reconstitua le clergé en y installant les meilleurs prélats de Normandie. Faisant venir de France la belle pierre de Caen, disposant de plus d'espace et, peut-être, de plus d'autonomie, ceux-ci se mirent à bâtir, et ils inventèrent la croisée d'ogives, qui apparut pour la première fois à Durham à la fin du XIᵉ siècle. Jusque-là, en Normandie, on s'était contenté de couvertures de bois pour les nefs, et les voûtes d'arêtes n'avaient été utilisées que pour les bas-côtés, les tribunes ou les cryptes. Et bientôt l'invention d'outre-Manche gagna la France, les architectes remplacèrent ces charpentes apparentes par des voûtes de pierre.

La cathédrale de *Coutances*, une des premières à avoir adopté la croisée d'ogives, se dresse fièrement au sommet de l'éperon qui porte la ville. Des lieues à la ronde, on distingue ses flèches de pierre, mais c'est de la place du parvis, face à la cathédrale, que l'on découvre le mieux sa splendide façade. De part et d'autre du grand portail, les deux tours, carrées à la base et octogonales dans la partie supérieure, se hérissent d'un faisceau de tourelles aiguës d'où émergent, à 77 m au-dessus du sol, deux flèches élancées.

La seule parure de cette audacieuse façade est la dentelle de la « galerie des roses » qui, depuis le XIVᵉ siècle, réunit ces deux tours, à

▲ *Caen, église Saint-Étienne*
de l'abbaye aux Hommes :
la croisée du transept,
et les hautes arcades du chœur.

bâtiment moderne, le musée des Beaux-Arts possède une étonnante collection d'œuvres d'art : des peintures du Pérugin, du Tintoret, de Véronèse, Rubens, Jordaens, Van Dyck; des estampes léguées par P. B. Marcel à la fin du siècle dernier (Rembrandt, Callot, Lucas de Leyde).

Outre les abbayes et le château, Caen compte d'autres monuments dignes d'intérêt. L'église Saint-Nicolas possède un pur vaisseau roman et un remarquable porche à trois arcades. L'église Saint-Pierre, avec son porche flamboyant, est un chef-d'œuvre du gothique; son abside de style Renaissance, abondamment ornementée, mérite l'attention. L'église Saint-Jean, gothique aussi, arbore un clocher-porche et une tour-lanterne ouvragée.

L'architecture civile d'autrefois survit avec l'hôtel d'Escoville (XVIe s.), la maison des Quatrans, souvenir médiéval isolé parmi des immeubles modernes, l'hôtel de Colomby, d'architecture Louis XIII, et les maisons XVIIIe siècle de la place Saint-Sauveur. ■

Le « Connétable des Lettres »

« Cotentinais avec orgueil », tel se définissait lui-même Jules Barbey d'Aurevilly. Marais endormis, landes désolées, maisons bourgeoises où se cache la passion, châteaux où s'éteint une noblesse fière de mourir noble, c'est dans la région de Saint-Sauveur-le-Vicomte que l'on retrouve le cadre de ses romans : au mont de Taillepied *Un*

prêtre marié, à Ollonde *Une histoire sans nom*, à Valognes *le Chevalier Des Touches*.

« Qu'importe la vérité exacte, *pointillée*, méticuleuse des faits, pourvu que les horizons se reconnaissent! » Ennemi du réalisme et de « l'effroyable mouvement de la pensée moderne », l'écrivain opta pour la satire.

« ... dans ce monde inerte, ennuyeux et vulgaire,
J'aime à lancer ma flèche à tout. » Aujourd'hui encore, il séduit et il irrite. Les féministes s'insurgent devant sa phallocratie criante, les âmes vertueuses se choquent de sa morale « du bonheur dans le crime », et le lecteur pressé s'impatiente quand le récit s'égare dans des descriptions de personnages annexes. Et pourtant... nul ne peut résister à l'envoûtement que procure

Du cloître de l'abbaye de la Lucerne,
il ne reste que le pavage
▼ *et quelques arcades d'angle.*

plus de 30 m de hauteur. Derrière elle, on découvre la tour-lanterne octogonale, haute de 57 m, que les Coutançais appellent « le Plomb ». Bâtie au-dessus du carré du transept, elle est flanquée de quatre tourelles d'escalier; ses arêtes et ses parois portent une décoration de crochets, magnifiques fleurs de pierre épanouies, et une simple galerie la couronne.

Emplie de lumière, la nef, longue de 95 m, ne dissimule aucune de ses beautés. Des voûtes d'ogives couvrent ses huit travées, hautes de trois étages et sobrement décorées. Le triforium s'orne de douze baies aveugles en tiers point. Au-dessus, de hautes fenêtres éclairent la voûte, derrière une balustrade tréflée. Mais le principal attrait de la cathédrale, c'est, vue de la croisée du transept, sa magnifique lanterne au décor Renaissance. Vertigineuse, la fine galerie qui l'entoure tient sur quatre piliers, formés de fines colonnettes et qui filent d'un seul jet vers les voûtes. Tout autour de la nef, des chapelles, ajoutées au XIVe siècle, s'ouvrent sur les bas-côtés. En revenant vers le porche, on reconnaît les tours romanes de l'ancienne basilique, que les tours ogivales recouvrent à l'extérieur.

Très attachés à la puissance et à la pureté de leur style, les Normands, jusqu'au XVe siècle, acceptèrent peu les apports extérieurs. Mais ensuite, les époques flamboyante et Renaissance apportèrent leur dentelle de pierre aux églises normandes, et bien des constructions se parèrent alors de hautes tours percées de longues fenêtres, ornées de statues, agrémentées de clochetons à crochets, de gargouilles, de lucarnes, de balustrades ouvragées. En témoignent la superbe tour « de Beurre » de Rouen, et aussi celle de Saint-Nicolas du Bec-Hellouin, de Verneuil, de L'Aigle, de l'église Saint-Pierre de Coutances et de Sainte-Croix à Bernay. Quant aux porches, ajourés à l'extrême, le plus bel exemple en est sans doute celui de Saint-Maclou à Rouen, mais la façade de Saint-Pierre-sur-Dives, les contreforts à pinacles qui encadrent le portail du Paradis à Lisieux relèvent du même souci de raffinement.

Ciel breton et prairies normandes

Par les grès et les schistes de son sol, la *presqu'île du Cotentin* appartient au Massif armoricain, mais ses paysages sont normands. Un coup de vent, un coin de haie, un sommet de côte, et la lande bretonne cède la place aux bocages où vaches et chevaux paissent l'herbe grasse.

Le mouvement monastique médiéval connut ici une grande ampleur. Trois abbayes en témoignent : la Lucerne, Hambye et Lessay. L'*abbaye de la Lucerne* fut fondée au XIIe siècle par les prémontrés. À l'abri d'un coteau boisé de la vallée du Thar, les ruines

son œuvre, à la passion qui se glisse sous chaque phrase, et la lenteur même du récit participe au suspense.

Saint-Sauveur-le-Vicomte a gardé le souvenir de ce dandy parisien qui paradait dans les salons du boulevard Saint-Germain, vêtu d'une cape de berger normand doublée de satin cramoisi, et qui « tirait à la ligne » pour écrire les articles lui permettant de vivre. On peut voir la belle maison où il naquit en 1808 et la modeste pierre tombale sous laquelle il repose depuis 1889, un buste sculpté par Rodin et le petit musée dans la tour carrée du château. Celui-ci réunit portraits, manuscrits et objets personnels de cet homme qui, sa vie durant, se battit fougueusement avec une « plume qui ressemblait si souvent à une épée », pour reprendre la jolie formule de Sainte-Beuve. ■

La « Telle du Conquest »

« Une tente tres longue et estroite de telle à broderie de ymages et escripteaulx faisans representation du conquest d'Angleterre, laquelle est tendue environ la nef de l'église le jour et par les octaves des Reliques. » C'est ce que nous lisons dans l'inventaire de 1476, concernant la célèbre *tapisserie de Bayeux*. En notre « civilisation de l'image », cette immense broderie, longue de 70 m et haute de 50 cm, apparaît comme une étonnante bande dessinée, où l'action se déroule au fil de l'aiguille, sur un fond de toile de lin bise. Elle nous conte, en couleurs (huit teintes dont les tons essentiels sont le rouge, le bleu et le jaune), le plus haut fait de l'histoire normande : la conquête de l'Angleterre par Guillaume le Conquérant en l'an 1066.

Commandée sans doute par l'évêque de Bayeux, Odon de Conteville, demi-frère de Guillaume, la « toile de la Conquête » fut conçue pour entourer le chœur de la cathédrale de Bayeux lors des grandes fêtes religieuses. Au XVIIIe siècle, on lui donna pour auteur la femme de Guillaume, la reine Mathilde; en réalité, elle fut exécutée en Angleterre. Dessinée seulement quelques années après les événements qu'elle relate, elle constitue un document historique exceptionnel, fournissant une multitude de renseignements sur les armes, les costumes militaires, les navires, le harnachement des chevaux et les habitudes de vie à la fin du XIe siècle.

Mais, quand on pénètre dans le musée, où elle est admirablement mise en valeur, on oublie souvent son caractère documentaire, pris que l'on est par le foisonnement des détails. Six cent vingt-six personnages, plus de 200 chevaux ou mulets, 55 chiens, plus de 500 autres animaux... En 58 épisodes, tout un univers s'agite, caracole, navigue, mange, se bat, se noie et s'entre-tue. Des commentaires en latin complètent les dessins; sentences ou légendes explicatives, dont le libellé est bref, voire laconique, donnent le nom des personnages mis en scène. Au-dessus et au-dessous de l'œuvre principale, une foule d'animaux réels ou imaginaires courent sur deux frises. Lions, centaures et griffons voisinent avec d'étranges poissons et des sujets tirés des fables de la tradition antique. Dans les scènes les plus mouvementées de la broderie centrale, les personnages

Saint-Sauveur-le-Vicomte :
la nef de l'église, rebâtie au XVIe siècle
et dotée de bas-côtés au siècle dernier,
▼ *garde des traces de ses origines romanes.*

de l'église abbatiale, très sobres, évoquent la vie méditative qu'y menèrent autrefois les moines. La simplicité de l'architecture s'apparente à celle du style adopté par les cisterciens : un large portail roman aux motifs géométriques, une tour carrée gothique dominant la croisée du transept, un chœur fermé par un chevet plat percé de hautes fenêtres.

On atteint *Hambye,* un peu au nord, par une route sinueuse. Fondée par Guillaume Paisnel en 1145 — deux ans seulement après la Lucerne —, l'abbaye dresse ses ruines dans un site solitaire de la vallée de la Sienne. Les corneilles se pourchassent à travers les hautes arcades de pierre colorées de rouille. Le murmure d'un ruisseau anime le silence des prés. Devant l'importance des ruines, on imagine une grande communauté laborieuse défrichant les bois d'alentour. Mais, en 1739, il ne restait que cinq moines, qui refusaient d'ailleurs l'autorité de leur prieur. De l'église abbatiale subsistent la nef romane éventrée, la tour-lanterne à deux étages de baies géminées, et le chœur gothique, d'imposantes dimensions. Des bâtiments conventuels, on peut encore voir la bibliothèque, le chauffoir, l'écurie, l'étable, la porcherie, le pressoir.

Contrairement à la Lucerne et à Hambye, pas de ruines à *Lessay.* Campée au fond d'un petit havre de la côte occidentale du Cotentin, solidement assise comme pour faire face à la violence des vents marins — seule une herbe rase et quelques touffes de bruyère parviennent à s'accrocher à la nudité de la lande —, l'abbatiale du XIe siècle a conservé sa splendeur première. Une restauration, menée de main de maître après les dommages provoqués par les combats de 1944, nous vaut d'admirer la haute nef à sept travées dans toute sa pureté. Le vaisseau principal, fait de croisées d'ogives, annonce la venue du gothique, mais les arcs croisés les plus anciens s'appuient un peu maladroitement sur les chapiteaux des piles. Un triforium très dépouillé contourne l'édifice. Au-dessus, une étroite galerie de circulation court devant les fenêtres. On remarquera l'abside, coiffée d'une calotte en cul-de-four, et le beau clocher carré de souche massive.

Pays d'abbayes, mais aussi pays de châteaux, le Cotentin possède deux belles forteresses médiévales. À *Bricquebec,* les murs d'enceinte et le curieux donjon polygonal (XIVe s.) ont résisté à l'épreuve du temps, et la tour de l'Horloge abrite un charmant musée (collection minéralogique, monnaies, sculptures, folklore). Dans la crypte (XIIIe s.) du bâtiment sud sont présentées les œuvres, d'inspiration militaire, du sculpteur local Armand Levéel. Non loin de là, la forteresse de *Saint-Sauveur-le-Vicomte,* bourg que Barbey d'Aurevilly trouvait « joli comme un village d'Écosse » au milieu de ses prairies, a été transformée en hôpital sous Louis XIV, et abrite désormais quelques souvenirs du « Connétable des Lettres ».

envahissent les franges : au cours de la bataille, les soldats tués tombent dans la bande inférieure et quand les navires traversent la Manche, les voiles des bateaux grignotent la frise supérieure.

À chaque instant surgissent des détails savoureux qui insufflent la vie à la fresque. Ici, le roi Harold, son faucon sur la main et son chien sous le bras, rejoint à gué le bateau qui l'emmènera en France. Là, des pillards détroussent les soldats tués; deux poissons se disputent une anguille dont chacun mord un bout; la basilique du Mont-Saint-Michel, au sommet d'une colline, tient comme par miracle au-dessus des flots.

Longtemps, on considéra la broderie comme le récit de la conquête du royaume anglo-saxon par les Normands. On pense

aujourd'hui que l'œuvre est centrée sur le thème moral du parjure d'Harold et son châtiment. L'histoire événementielle laisse place à la philosophie religieuse. ■

Histoire d'une âme

Ainsi s'intitule l'ouvrage autobiographique de sainte Thérèse de l'Enfant-Jésus et de la Sainte-Face, religieuse au carmel de Lisieux. Le « manuscrit de sa vie » relate successivement : les « années ensoleillées » de la petite enfance, placée sous le signe des joies simples, la mort de la mère — une dentellière qui avait rêvé de la vie religieuse —, le départ d'Alençon pour Lisieux et l'existence aux Buissonnets, « tranquille et heureuse », l'entrée au carmel de sa

▲ *L'une des 58 scènes de la célèbre tapisserie de Bayeux, qui raconte la conquête de l'Angleterre par les Normands.*

Bâtiments conventuels et église de l'abbaye de Mondaye forment un ensemble
▼ *d'une rigueur toute classique.*

De Bayeux à Thaon

Sise en bordure du Bessin bocager, *Bayeux* reflète des siècles de prospérité. Les Vikings se plurent dans cet ancien castrum gallo-romain qui devint ensuite cité médiévale fortifiée. Aujourd'hui les fossés ont été remplacés par de paisibles jardins publics, et, au hasard des rues tranquilles, le promeneur découvrira, miraculeusement épargnées par la guerre, de nombreuses maisons aux colombages parfois habilement sculptés, datant du XVe siècle, ainsi que de charmants hôtels attestant une aisance comparable au XVIIe et au XVIIIe. Le musée Baron-Gérard réunit de remarquables collections de porcelaines de Bayeux, de dentelles, de tapisseries, de peintures. À l'image de la ville, qui s'enrichit siècle après siècle, la cathédrale Notre-Dame, énorme et somptueuse, mélange les styles, empruntant à chacun ce qu'il a de plus achevé. Les grands arcs romans en plein cintre de la nef s'ornent de chapiteaux gothiques, finement sculptés de feuillage. Des flèches gothiques prennent leur élan sur deux puissantes tours romanes. Le XVIe siècle a décoré le superbe chœur gothique de stalles de bois très ouvragées, et le XVIIIe offrit le splendide maître-autel de marbre, la chaire et le trône épiscopal. La crypte romane et la salle capitulaire gothique sont intéressantes. Et il ne faut pas oublier la célèbre « tapisserie de la reine Mathilde », que l'on déroulait autour du chœur lors des grandes fêtes et pour laquelle une salle de l'ancien évêché a été spécialement aménagée.

Les environs de Bayeux sont aussi riches en monuments que la capitale du Bessin. À *Cerisy-la-Forêt*, l'abbaye bénédictine, consacrée en 1032, a bien souffert au siècle dernier : sa nef a perdu quatre de ses sept travées. Mais ce qui demeure paraît gigantesque, à l'échelle du désir de puissance de ses bâtisseurs : le duc Robert le Magnifique et son fils Guillaume le Conquérant. De part et d'autre de la très large nef, les bas-côtés se couvrent de voûtes d'arête. Au-dessus des arcades, une vaste tribune est encore surmontée de la caractéristique coursière normande. Ici ou là, un chapiteau se pare d'une volute de feuillage ou d'une tête d'animal. Mais la partie la plus admirable est le chœur, qu'éclairent trois étages de cinq fenêtres. Dans les bâtiments conventuels, occupés partiellement par une ferme, on visitera les petits cachots où trois siècles de graffiti rappellent le pouvoir judiciaire des abbés, ainsi que la collection de pavements décorés du XIIIe siècle, présentée dans la salle voûtée du parloir des moines.

L'abbaye de *Mondaye,* fondée en 1212 par les prémontrés, abrite aujourd'hui une cinquantaine de religieux qui vendent aux touristes leurs yaourts et leurs fromages. La grande église, reconstruite, comme le monastère, au XVIIIe siècle, est remarquable par son style classique très homogène.

Enfermée derrière de grands murs, l'abbaye bénédictine de *Sainte-Marie-de-Longues* (XIIe s.) protège jalousement ce qui lui reste : le chœur et une partie du transept de l'église, quelques vestiges du cloître, le bâtiment abbatial, remanié au XVIIIe siècle, le réfectoire et la salle capitulaire (XVe-XVIe s.), où l'on peut admirer les dalles tumulaires faites de carreaux vernissés du XIIIe siècle.

En dehors des grandes abbayes, il existe de merveilleuses églises de campagne. Celle de *Creully,* à l'ombre d'une puissante forteresse qui n'a plus grand-chose de médiéval, possède un joli porche roman, décoré de simples bâtons brisés. Ses chapiteaux et ses modillons s'animent de masques grimaçants ou souriants, visages naïfs dont la force expressive fait oublier la maladresse de l'exécution. Aucune imperfection dans l'église Saint-Pierre de *Thaon,* nichée dans un vallon ombragé de la Mue; élevée au XIe et au XIIe siècle, elle est entièrement romane, avec une nef rectangulaire, un chœur carré à chevet plat, de simples arcades et une tour à deux étages de baies géminées. Aucune fioriture ne vient troubler le recueillement.

Un haut lieu de la foi

C'est en avril, lorsque les pommiers en fleur transforment ses vergers en un jardin féerique, qu'il faut découvrir le *pays d'Auge,* dont les grasses collines recèlent de purs trésors d'architecture. Parmi tous les châteaux, auquel accorder sa préférence? La puissante

sœur Pauline qui contribua à sa vocation, et sa propre entrée au carmel le 9 avril 1889, à l'âge de quinze ans, par autorisation du souverain pontife. Mais en 1897, au terme d'une longue agonie, sœur Thérèse, atteinte depuis plusieurs mois d'une maladie de poitrine, allait s'éteindre, avec cet espoir : « Je sens surtout que ma mission va commencer, ma mission de faire aimer le Bon Dieu comme je l'aime, de donner ma petite voie aux âmes. Si le Bon Dieu exauce mes désirs, mon Ciel se passera sur la terre jusqu'à la fin du monde. Oui, je veux passer mon Ciel à faire du bien sur la terre. »

Après sa mort, l'*Histoire d'une âme* est éditée. Dès 1899, des pèlerins viennent prier sur sa tombe au cimetière de Lisieux. Le 29 avril 1923, Pie XI proclame Thérèse de l'Enfant-Jésus bienheureuse. Et, deux ans plus tard, le 17 mai 1925, celle-ci est canonisée.

Aujourd'hui, Lisieux vit dans le souvenir de Marie-Françoise-Thérèse Martin, dont la courte vie fut tout entière consacrée à la recherche de la perfection. Dans la chapelle du carmel, est exposée sa châsse. Une basilique lui est dédiée, consacrée en 1954. On peut visiter la maison familiale des Buissonnets et voir plusieurs expositions évoquant sa vie. ■

Les premiers sanctuaires

De l'art religieux au haut Moyen Âge, quelques témoignages seulement subsistent aujourd'hui, sous forme de vestiges. À *Deux-Jumeaux*, des fouilles ont mis au jour les fondations de deux oratoires, ainsi que des pierres, grossièrement sculptées, appartenant à l'ancienne abbaye fondée à la fin du VIe siècle. À *Évrecy*, on peut voir des pierres sculptées provenant de l'église préromane.

Dans les rares églises qui n'ont pas été démolies — ni trop remaniées — à l'époque romane, apparaissent certaines similitudes : un style très simple venu des pays de Loire, un assemblage de pierres qui rappelle les enceintes romaines. À *Vieux-Pont*, dans le pays d'Auge, l'église Saint-Aubin, dressée au flanc d'un coteau de la vallée de l'Oudon, date-t-elle de l'époque carolingienne ou de la fin du Xe siècle? On l'ignore, mais elle retrace, de façon intéressante, les origines de l'art roman : plan très simple (nef et chœur rectangulaires), murs

▲ *La chapelle Saint-Germain de Querqueville, que l'on dit le plus ancien sanctuaire du Cotentin.*

Saint-Pierre de Lisieux et ses deux tours, l'une gothique à hautes et étroites baies, l'autre bâtie en style roman au XVIe siècle
▼ *et surmontée d'une flèche au XVIIe.*

bâtisse de Ouilly-du-Houley, les délicates tours de la Roque-Baignard, si chère à André Gide, l'ancienne abbaye du Val-Richer transformée en château par Guizot, le petit joyau polychrome de Saint-Germain-de-Livet, ou le manoir de Coupesarte.

Encapuchonnées sous leurs grands toits, les fermes protègent au mieux leurs fragiles colombages. Pisé ocre et poutres brunes s'harmonisent avec le vert des pâtures aux haies vives, avec les robes soyeuses des vaches. Vigoureux et plantureux, tel apparaît ce pays d'Auge arrosé de mille eaux vives.

La vallée de la Touques nous conduit au cœur de la contrée, à sa capitale, *Lisieux*. De l'époque romaine où la cité avait déjà rang de capitale, le musée du Vieux-Lisieux conserve monnaies et poteries. Mais la dernière guerre a eu raison de la plupart des maisons de bois qui témoignaient de la prospérité de la ville à la Renaissance. La cathédrale Saint-Pierre, quant à elle, a été épargnée. Élevé au XIIe et au XIIIe siècle, hésitant entre le gothique et le roman, ce sanctuaire mêle les deux styles. Si la tour bâtie au XIIIe siècle arbore de hautes baies géminées gothiques, l'autre tour flanquant la façade, bâtie trois cents ans plus tard, a opté pour trois étages de baies cintrées d'inspiration romane; le XVIIe siècle la surmonta d'une flèche. À l'intérieur de la cathédrale, une tour-lanterne, typique de l'art roman normand, éclaire d'une douce lumière la voûte à croisée d'ogives et les arcs de l'abside.

À cette sobre cathédrale s'oppose l'énorme basilique romano-byzantine dédiée à sainte Thérèse de l'Enfant-Jésus. Rien n'était sans doute trop beau pour remercier la sainte des guérisons miraculeuses obtenues grâce à son intercession. Là où la petite carmélite a vécu sa courte vie de douleur et de sacrifice, un million de visiteurs se pressent chaque année, en particulier au moment du pèlerinage, début octobre. Au couvent des carmélites, devant la somptueuse châsse de marbre, bronze et vermeil où reposent les restes de Thérèse Martin, on peut être étonné du paradoxe entre l'humilité de la sainte et le luxe déployé pour la vénérer.

Dans les collines de l'Ouche et du Perche

Entre les grandes plaines de l'Île-de-France et la Bretagne s'étale une région de fortes collines, vêtues de pins, de hêtres et de chênes, entrecoupées d'herbages à chevaux, de champs de céréales et de bocages. Au creux des vallons courent des rivières à truites. En pays d'Ouche, les paysages sont plus mollement ondulés que dans le Perche et la couverture forestière est plus trouée.

À *Mortagne-au-Perche*, jadis capitale du comté du Perche, échauguettes, fenêtres à meneaux et toits de tuiles brunes des maisons puissants qui alternent briques et moellons, clocher carré.

Pareille simplicité se retrouve dans l'église Notre-Dame-Outre-l'Eau à *Rugles* : l'appareil des murs associe moellons de silex et briques plates, il n'y a ni décoration ni fantaisie et, dépourvue de clocher, l'église se tasse sous un toit de tuiles.

Plus surprenante est la chapelle de *Querqueville*, car son plan est tréflé. Surmontée d'une tour carrée (XVIIe-XVIIIe s.), elle résiste depuis dix siècles au vent de la mer. ■

Aux messes de Saint-Wandrille

Les moines de Saint-Wandrille ont activement participé au rétablissement du chant grégorien. À l'heure actuelle, on peut assister, dans l'abbaye, à des offices où se fait entendre cette sorte de prière chantée dont le pape Pie X disait que c'est « le chant propre de l'Église romaine, le seul chant qu'elle ait hérité des Anciens, chant qu'elle a gardé jalousement pendant des siècles et qu'elle propose aux fidèles comme étant directement le sien ». Proche parfois de la musique antique grecque, cette mélodie envoûtante, sans accompagnement, sans intervention polyphonique, composée pour des voix d'hommes et exécutée exclusivement par des hommes, nous emporte gravement vers la paix et le recueillement.

Le chant grégorien doit son nom à saint Grégoire le Grand, qui fut pape de 591 à 604 et qui eut pour mérite d'organiser l'école romaine de chant liturgique; sous sa direction fut établi un recueil du fonds liturgique : l'*Antiphonaire romain*. En fait, l'école romaine devait l'emporter sur d'autres écoles : *ambrosienne* (liturgie milanaise, du nom de saint Ambroise), *mozarabe* (liturgie de l'Espagne wisigothique, abolie au XIe siècle), *gallicane* (liturgie de la Gaule, marquée de l'influence mozarabe).

Au début, les traditions mélodique et rythmique furent orales. Puis on introduisit des signes : la *virga* et le *punctum,* représentant des durées identiques (le premier correspondant au son le plus élevé). Soumises à diverses combinaisons, ces figures de base engendrèrent les *neumes*. La mélodie apparaissait, sur une portée de quatre lignes, comme une suite de neumes, simples ou composées (plus de trois notes).

Après la mort de Charlemagne, au début du IXe siècle, le répertoire du chant grégorien était constitué. Des bénédictins, de Jumièges notamment, firent des copies de l'*Antiphonaire*. Mais, peu à peu, au cours des siècles, des transformations intervinrent, dues à des divergences entre les liturgies, à l'influence de la polyphonie sur le rythme, à l'apparition, dès le XIIIe siècle, d'une mesure régulière — auparavant, rythmes à 2 et 3 temps pouvaient se succéder dans un même morceau.

Jusqu'au milieu du XVIIe siècle, on composa en grégorien — ou à l'imitation. Toutefois depuis le XIXe siècle, grande époque de la restauration du chant grégorien, des érudits tentent de retrouver le « vrai » grégorien, et des controverses passionnées se sont instaurées entre les spécialistes. ■

cossues montent la garde sur un éperon. L'église Notre-Dame est un bel exemple de l'art gothique flamboyant, mêlé de manifestations de la Renaissance. Au fond d'un jardin public, un puissant percheron de bronze, monté par un bambin replet, se profile sur les verts horizons de la forêt de Bellême.

Une atmosphère sereine règne à *Sées,* l'un des plus vieux évêchés de France. Petites chapelles, palais épiscopal, séminaire et musée d'art religieux y sont dominés par la haute silhouette de la cathédrale gothique. Il faut aller y voir la belle nef normande, le chœur et le transept, ainsi que les verrières du XIIIe siècle. Il faut y saluer aussi Notre-Dame de Sées, une souriante vierge du XIVe.

Seuls les hommes ont accès à l'abbaye de *la Trappe,* isolée parmi les bois et les étangs; mais, au village de *Soligny,* la petite église romane, juchée sur un coteau fleuri, est ouverte à tous. Deux contreforts encadrent son simple porche à double arcature ornée de chevrons.

Aux confins du Perche et du pays d'Ouche, dans la haute vallée de la Risle, *L'Aigle* est une ville active. Sous la surveillance des gargouilles et des statues de la tour flamboyante de l'église Saint-Martin, se tiennent depuis quatre siècles des marchés animés. À côté du sanctuaire se trouve une vieille maison à pans de bois sculptés. Plus discrète que Saint-Martin, l'église Saint-Barthélemy (XIIe s.) se perche sur une petite butte à la sortie de la ville. Ses contreforts de pierre sombre contrastent avec la pierre blanche des murs : un timide essai de polychromie.

Une des premières villes de Haute-Normandie à avoir conquis son indépendance bourgeoise, *Verneuil-sur-Avre* fut fondée en 1120 par le fils cadet de Guillaume, Henri Ier Beauclerc, duc de Normandie. Organisée en place forte, elle sut protéger ses maisons à tourelles d'angle et à appareillage de bois peint. Et, du sommet de la tour Grise, l'un des derniers vestiges des fortifications, le regard ne se pose que sur des maisons prospères et de riches cultures. Au cœur de la ville, la profusion de statues et clochetons de la tour de l'église de la Madeleine écrase un peu le sanctuaire qui recèle un véritable trésor d'œuvres d'art. Même richesse dans l'église Notre-Dame, où sont réunies de touchantes statues de bois et de pierre, datant du XIIe au XVIIe siècle.

Épanouie, souriante, la Risle serpente entre pays d'Ouche et Lieuvin. L'arbre est partout, sur le flanc du coteau, au bord de la rivière, au sommet du versant. Conservant humidité et fraîcheur, cette verdure sert d'écrin à châteaux, églises et abbayes.

Au bord de la Charentonne, affluent de la Risle, *Bernay* constitue une étape agréable. C'est là que naquit le trouvère Alexandre de Bernay, qui donna son nom au vers de douze pieds, l'alexandrin. Sous les immenses voûtes de bois de l'église Sainte-Croix, entreprise au

Le Bec-Hellouin : la tour-clocher Saint-Nicolas du XVe siècle, vestige de l'ancienne abbatiale
▼ *détruite au XIXe siècle.*

▲ *Saint-Wandrille :*
la galerie nord du cloître,
avec la double porte du réfectoire
et le lavabo à six compartiments.

L'académie du monde chrétien

L'*abbaye du Bec-Hellouin* fut jadis un important foyer de rayonnement culturel et religieux, ce qu'elle doit à deux hommes du XIe siècle : Lanfranc et Anselme. Le premier (v. 1005-1089) entra au monastère comme simple moine. Devenu conseiller de Guillaume le Conquérant, il fut ensuite le bâtisseur et le premier abbé de Saint-Étienne de Caen avant de devenir archevêque de Cantorbéry. Sous Lanfranc, l'école du Bec-Hellouin acquit une grande renommée en matière théologique. C'est Anselme d'Aoste (1033-1109) qui poursuivit cette tradition théologique. Ayant succédé à Herluin à la tête de l'abbaye (1078), il fut après Lanfranc archevêque de Cantorbéry.

La vocation culturelle du Bec-Hellouin se prolongea au fil des siècles... jusqu'aux Mauristes qui, au XVIIe et au XVIIIe siècle, rebâtirent en partie l'abbaye. Puis, avec la Révolution, disparut la vie monastique. L'abbatiale fut abattue sous l'Empire. Les bâtiments conventuels, dégradés, devinrent un dépôt de remonte. En 1948 seulement, le monastère retrouva sa mission d'origine.

Remis en état, Le Bec-Hellouin offre à l'heure actuelle le visage que lui donna la congrégation de Saint-Maur. Des constructions du Moyen Âge ne subsiste en fait que la tour Saint-Nicolas (XVe s.), dont la haute flèche fut détruite en 1810. On peut voir notamment le cloître, l'ancienne bibliothèque et l'église abbatiale, installée dans le réfectoire, long vaisseau voûté en berceau. ■

L'église abbatiale de Saint-Wandrille,
jadis remarquable édifice gothique,
se réduit aujourd'hui
▼ *au croisillon nord du transept.*

XIVe siècle, on peut voir un curieux maître-autel avec retable de marbre rouge; une quinzaine de statues, qui proviennent de l'abbaye du Bec-Hellouin, ornent le chœur. Au centre de la cité, les derniers bâtiments (XVIIe s.) qui subsistent de l'ancienne abbaye abritent la poste et l'hôtel de ville. Le logis abbatial, damier de pierre et de silex, présente une belle collection de céramiques. En damier également, la basilique Notre-Dame-de-la-Couture est surtout remarquable par ses vitraux du XVIe siècle.

Plus au nord, *Brionne,* sentinelle de la vallée de la Risle, est habitée depuis l'occupation romaine. Non loin, la puissante tour carrée de l'*abbaye du Bec-Hellouin* jaillit parmi les frondaisons. Blanche comme la robe des bénédictins qui parcourent encore son parc rigoureusement entretenu, elle domine ce qui fut «l'académie du monde chrétien».

En se rapprochant de la mer, on traverse *Corneville,* dont la charmante opérette de Robert Planquette a fait la réputation. Puis on gagne *Pont-Audemer,* que baignent plusieurs bras de la Risle. Ses vieilles maisons à colombage vivent depuis le Moyen Âge au rythme de l'industrie du cuir. Dans l'église Saint-Ouen, entreprise au XIe siècle et remaniée au XVIe, les styles ne se côtoient pas toujours harmonieusement; mais on oublie aisément ce manque d'unité devant les vitraux Renaissance.

Vallée de la Seine, route des abbayes

La Seine n'en finit pas d'atteindre la mer. Elle s'étale en de larges méandres où se plaisent les petits voiliers. Sévères falaises blanches et vertes prairies se partagent ses rives. Cette romantique vallée est aussi une route des abbayes. *Jumièges* dresse ses ruines au milieu d'un écrin de verdure. Son histoire, commencée avec saint Philibert en 654, est riche en avatars jusqu'au milieu du XIXe siècle. D'abord occupée par soixante-dix bénédictins qui partageaient leur vie entre la prière, le travail manuel et le travail intellectuel, elle fut abandonnée au milieu du IXe siècle lors des incursions des Vikings. Le fils de Rollon entreprit la première restauration. Au XIe et au XIIe siècle, l'abbaye connut la plus grande prospérité. Après la guerre de Cent Ans et son cortège de dévastations, les dons de Charles VII, qui séjourna dans la région avec la belle Agnès Sorel, compensèrent un peu les «misères de la guerre». Fin du XVIe et début du XVIIe siècle, ce fut le temps des bénéfices et de la commende. Des moines mauristes essayèrent de retrouver la grandeur morale révolue. Mais, comme en bien d'autres lieux, le siècle des lumières vit le déclin progressif de Jumièges, et la Révolution paracheva l'agonie de l'abbaye, qui ne comptait plus que seize moines en 1789. Devenue carrière, Jumièges

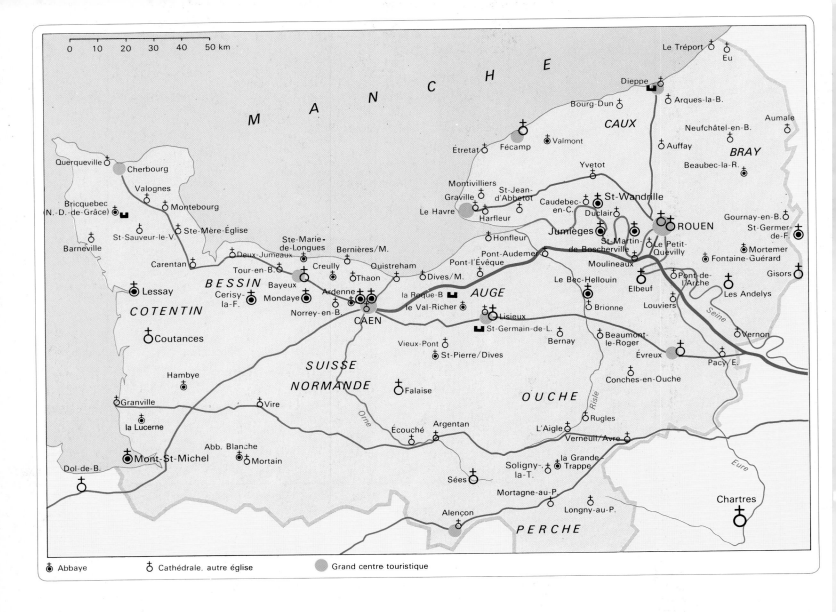

servit à construire les maisons de Rouen et des villes avoisinantes; des pierres de son cloître voyagèrent même jusqu'en Angleterre. Ce n'est qu'en 1852 qu'un propriétaire, conscient de la beauté du lieu, entreprit le travail de restauration.

Que retrouvons-nous aujourd'hui? L'église Notre-Dame : une façade merveilleusement équilibrée, qui supporte sans lourdeur un fronton dépourvu de toute décoration, et deux grosses tours, hautes de 43 m. Il ne reste qu'un pan de la tour-lanterne et des vestiges des tribunes normandes, voûtées d'arêtes, qui couraient autour des bas-côtés et du transept. Ouverte sur le ciel, la grande nef blanche fait, ici aussi, alterner piles fortes carrées, flanquées de colonnes, et piles faibles (colonnes seules) pour soutenir des larges arcs en plein cintre. Toute proche, l'église Saint-Pierre a probablement servi de modèle à Notre-Dame. Au-dessus des arcades en plein cintre que séparent des piliers carrés, des tribunes entourent le vaisseau. Mais les transformations que le sanctuaire a subies au cours des siècles laissent à peine deviner ce qu'il fut avant l'édification de Notre-Dame. Entre Saint-Pierre et Notre-Dame se glissent les vestiges de la salle capitulaire datant du XIIe siècle. On retrouvera au musée lapidaire, installé dans le logis abbatial du XVIIe siècle, les plus riches souvenirs de Jumièges : la dalle funéraire d'Agnès Sorel, des chapiteaux ornés de palmettes et de feuillages stylisés.

À quelques lieues en aval, l'abbaye de *Saint-Wandrille* se dissimule derrière de hauts murs. Fondée à la même époque que Jumièges, elle connut la fureur des Vikings, les exactions des protestants, la fermeture après la Révolution, la pioche du démolisseur. Seul le bras nord du transept de l'abbatiale, du XIIIe siècle, a survécu. À peine devine-t-on la majesté de l'édifice gothique. En revanche, la vie liturgique s'y perpétue. Seuls les hommes ont accès à la visite du cloître (XIVe-XVe-XVIe s.) et du'très original «lavabo» du XVIe; les dames, elles, peuvent écouter chanter les moines dans l'église, installée en 1969 dans une grange médiévale, ou acheter de la cire et de l'encaustique fabriquées dans l'abbaye. En bordure du parc de l'abbaye, la petite chapelle dédiée à saint Saturnin (Xe s.?) rappelle celle de Querqueville : même plan tréflé, même appareil en arête de poisson.

Peu avant Rouen, le village de *Saint-Martin-de-Boscherville* s'enorgueillit de l'abbatiale Saint-Georges, qui profile ses tours sur le fond boisé de la forêt de Roumare. Bien que cette abbaye bénédictine n'ait jamais eu la renommée de Jumièges ou de Saint-Wandrille, elle témoigne de la richesse de l'art normand au XIIe siècle. Dans la façade, aux lignes harmonieuses, s'exprime le goût des Normands pour la sobriété. Hélas! deux clochetons trop grêles, ajoutés au XIIIe siècle par le fils du fondateur du monastère, gâtent la belle ordonnance de l'ensemble, que relève cependant, avec vigueur, la puissante tour-lanterne qui dresse ses deux étages d'arcatures au-dessus du transept. Bâtons brisés, ciselures, dents de scie, arcs de cercle : sur le porche en plein cintre se succèdent tous les motifs géométriques chers à la sculpture normande. Le badigeon qui recouvre l'intérieur de la nef voûtée de huit travées nuit quelque peu à l'équilibre des proportions. Cependant, il faut y détailler les chapiteaux sculptés, plus riches ici qu'ailleurs : des masques crachent des feuillages, des animaux mythiques ou réels voisinent avec les scènes de la vie monastique et de l'histoire sainte. Devant les sculptures un peu plus tardives de la salle capitulaire, les exégètes s'accordent à y voir l'influence des artistes de l'Île-de-France.

20. Églises et abbayes normandes

le Mont
Saint-Michel

poème de pierre de l'Occident

*U*n modeste rocher, ~~rock~~
perdu au milieu d'immenses grèves
que la mer recouvre au rythme des marées,
est devenu par la foi des hommes ~~faith~~
l'un des plus prestigieux sanctuaires
du monde chrétien.
Le Mont-Saint-Michel rassemble,
dans un équilibre presque insolent,
les conceptions artistiques d'époques
bien différentes.

Le Mont,
◀ à marée haute.

Terrasse de l'Ouest,
Merveille et
▼ jardins de l'abbaye.

▲ Vue du haut des tours du Châtelet,
ultime défense de l'abbaye.

Sombre et un peu sévère,
la nef romane. ▶

*Protégé par une rampe ▲
finement sculptée
l'Escalier de Dentelle.*

L'histoire a passé,
les siècles ont meurtri le Mont.
Pourtant il a su garder son caractère propre,
cette émouvante simplicité mêlée de grandeur
que la sobre harmonie romane
et les vertigineux élans gothiques
se sont accordés à lui donner.
En un site qui, plus que tout autre,
se prêtait à la communion avec Dieu,
tout a été subtilement façonné
pour stimuler le recueillement
et la prière.

*Espace clos
entre
4 élégantes
galeries,
suspendu
entre ciel
et mer,
le Cloître
de la Merveille.*

Les envolées gothiques du chœur, exceptionnelles par leur pureté et leur sobriété.

6. Mont-Saint-Michel

Élan et tension superbes des pierres, les arcs-boutants du chœur.

▲ *Les voûtes d'origine*
du Promenoir des moines.

Partout se manifestent
le travail du tailleur de pierre
et la morsure du ciseau,
sur les flancs des contreforts
patinés par les embruns, sur les pinacles ouvragés,
sur les voûtes romanes, sur les arcatures flamboyantes...
Partout s'inscrit dans le granite
la marque d'une étonnante aventure spirituelle,
l'une de celles qui amènent l'homme
à se dépasser par des œuvres
quasi impérissables.

◄ *Au ras de la grève ou de l'eau,*
la chapelle Saint-Aubert.

▲ *La façade ouest de la Merveille
et l'îlot de Tombelaine.*

Environné de sables miroitant à l'infini, cerné d'une mer tranquille ou bousculé par les tempêtes, le Mont-Saint-Michel jaillit dans un prodigieux élan vers le ciel, défi au temps et à la fragilité humaine. Ce cône de pierre, précieux ostensoir sculpté dans le granite par la main de l'homme, se dresse comme une apparition immatérielle à la limite extrême de l'horizon, là où l'on ne sait où finit la terre et où commence le ciel.

« Acropole des brouillards, forteresse mystique, récif qui s'achève en prière... » (Thierry Maulnier). Les poètes ont célébré, chacun à leur façon, l'abbaye de l'archange lumineux, nimbée d'une brume légère, chatoyante sous l'éclatante lumière de l'été, ou d'une âpre et sauvage grandeur lorsque les flots se déchaînent à ses pieds. Car l'immensité des grèves aux tangues grises ou aux sables roux, l'enlacement de la mer tour à tour farouche et hostile, apaisée et indolente, la chevauchée des nuages, les voiles des pluies auxquels succède soudain le triomphe des soleils inattendus, tout cela contribue à la féerie du lieu. Ce legs prestigieux — à la fois église, château et village, ensemble unique édifié au « péril de la mer » — que nous laissèrent des moines sans grand savoir, des architectes obscurs et d'habiles tâcherons, est un véritable poème de pierre sur lequel le mysticisme de chaque époque a gravé son empreinte.

Le Mont des légendes

Du cap de Carteret à la pointe du Grouin, une côte mi-sableuse, mi-rocheuse, souvent sauvage et même ingrate, dessine en une large courbe la baie dont un modeste rocher granitique allait devenir, au cours des siècles, le pôle d'attraction. L'imagination poétique fécondée par ce site a placé dans cette vaste échancrure une immense forêt de chênes, forêt de Scissy ou de Quoquelunde, dominée par trois élévations rocheuses : Tombelaine, le Mont-Tombe et le Mont-Dol. Cent légendes ont magnifié cette étendue sylvestre qu'un épouvantable raz de marée aurait submergée en 709. Mais, ici, la réalité est loin de la fiction. S'il y a eu des bois, ainsi que nous l'apprennent d'anciennes chroniques, ils se trouvaient à 6 milles de la mer et servaient de retraites aux animaux. Aucune trace de forêt n'a jamais été trouvée dans les vases de la baie, en dépit de nombreuses recherches. Mais il est vrai que le rivage a beaucoup changé dans ce « piège à sédiments » qu'est la baie du Mont-Saint-Michel, où s'accumulent lentement les débris de coquillages, au gré des marées et des chenaux qui les remanient sans cesse. La mer gagne ici et perd là, tantôt rongeant l'herbe qui colonise ses dépôts, tantôt la laissant progresser, selon des rythmes décennaux ou séculaires. Et le Couesnon, la Sélune, grossie du Beuvron et de l'Oir, la Sée, l'Huisne,

le Beauvoir, la Guintre, autant de rivières qui modèlent la baie au fil de leurs caprices, charriant les sables vers le large dans le scintillement de leurs eaux argentées.

C'est dans ces rivières aux lits imprécis que se noient chaque année quelques pêcheurs inexpérimentés, que la recherche des crevettes grises a entraînés trop loin, ou quelques touristes ignorant les fantaisies de ces cours d'eau sans rives apparentes. Fonds et chenaux se remodelant constamment, il est dangereux de s'aventurer sur des grèves parfois peu fermes. Ce danger d'enlisement, la célèbre tapisserie de la reine Mathilde, datant du XIe siècle, en faisait déjà état : « Et ils traversèrent la rivière de Couesnon, et Harold sauva des Normands qui s'enlisaient. » Des siècles plus tard, Victor Hugo allait évoquer dans *Quatrevingt-Treize* les risques présentés par des « sables mouvants [qui] déplacent insensiblement leurs dunes ». Il accréditait ainsi à jamais ce qui n'est, en fait, qu'une légende, car on ne peut s'enliser dans les « sables mouvants » puisqu'ils n'existent pas. Mais une rivière grossie soudainement par la pluie, une invisible vallée creusée par un ruisseau, un courant circulant dangereusement sous le sable, ce sont là les vrais périls. Les pieds de l'imprudent s'enfoncent dans une tangue inconsistante, il s'affole alors, se débat, et, plus il se débat, plus il s'enfonce. À l'heure du flux, il peut être noyé avant que n'arrivent les secours. Aujourd'hui, des sauveteurs, en canots ou en hélicoptères, surveillent la vaste baie dans le souci de prévenir de tels accidents.

Le principal danger est pourtant la marée. C'est que, avec parfois 15 m d'écart entre basse et haute mer — un record de France et même d'Europe —, la mer dégage la baie sur 15 km. Elle les recouvre à nouveau en deux ou trois heures, mais pas de façon uniforme : elle monte très vite le long des chenaux, cerne lentement mais sûrement les bancs un peu surélevés. Le flot peut atteindre 18 km/h : ce n'est pas tout à fait la fameuse « vitesse du cheval au galop », mais c'est bien assez pour rattraper ou isoler très vite l'imprudent. Par gros temps ou aux époques de pleine et de nouvelle lune, l'arrivée de la marée au Mont-Saint-Michel constitue un spectacle impressionnant dont on peut jouir, bien à l'abri, sur le Mont.

D'ordre de l'archange

L'histoire du Mont-Saint-Michel a été mille fois relatée, et non sans fantaisie. Sur elle se sont greffées, comme toujours, d'innombrables légendes qui ont été conservées soit parce qu'elles mêlaient à la réalité des interventions célestes, à une époque particulièrement friande de miracles, soit parce qu'elles officialisaient des versions politiques qui connurent une grande faveur tout au long du XIXe siècle.

▲ L'étrange luminosité du Réfectoire.

▲ L'Aumônerie,
autrefois refuge
des pèlerins indigents.

La porte de l'Avancée,
seule ouverture des remparts,
▼ et le corps de garde des Bourgeois.

Baignée d'une aura légendaire, l'histoire du Mont-Tombe remonte au VIᵉ siècle. Peut-être était-il déjà une sorte de lieu saint celtique, une de ces îles où l'on déposait les morts? Il y a en tout cas des sites qui appellent le recueillement. Un manuscrit du Xᵉ siècle rapporte que, vers l'an 500, deux moines de Thouars, Paternus (saint Pair) et Scubilion, décidés à vivre retirés du monde pour se consacrer à la prière, après avoir longtemps cheminé à travers des bois, parvinrent au pied du Mont-Tombe et décidèrent de s'y fixer. Ils élevèrent alors sur le rocher isolé deux petits oratoires. La vocation monastique du Mont était née.

Elle se précisa deux siècles plus tard, lorsque l'archange saint Michel, « voulant » être prié en ce lieu solitaire, apparut à trois reprises en songe à l'évêque d'Avranches, Aubert, lui enjoignant d'élever un sanctuaire. De la troisième intervention, Aubert porta le stigmate : un trou dans la tête, provoqué par le « doigt de feu et de lumière » que saint Michel aurait dirigé vers lui. Alors Aubert, aidé de

la population paysanne, entreprit de construire une église au sommet du Mont-Tombe. Il s'agissait probablement d'un édifice très simple, circulaire, en forme de crypte. D'ordre de l'archange, l'évêque envoya des frères en Italie, au Monte-Gargano (Pouilles), où saint Michel était déjà vénéré, pour en rapporter une relique du manteau du saint. Le sanctuaire fut consacré le 16 octobre 709, et douze chanoines furent chargés d'assurer le service de Dieu : la retraite sauvage et isolée devenait ainsi phare de chrétienté.

La tentation des chanoines

Lorsque Aubert mourut, en 725, son corps fut placé dans la chapelle qu'il avait fait bâtir. Des miracles ne tardèrent pas à se produire et les pèlerins d'affluer. Malgré la difficulté des communications, malgré les sables et les marées (beaucoup de pèlerins périrent enlisés ou noyés au cours de la traversée de la baie), riches et gueux (hébergés gratuitement par les moines), cavaliers et piétons accoururent de Neustrie, de Bretagne, puis de lointaines contrées. Leurs longs cortèges préfiguraient les grands pèlerinages qui, plus tard, sillonnèrent l'Europe, lorsque le Mont-Saint-Michel devint étape sur la route de Saint-Jacques-de-Compostelle. Childéric III, roi mérovingien, fut le premier pèlerin royal, et non le dernier.

Mais les temps troublés des invasions normandes ont donné au Mont un autre rôle et bien changé son visage. C'est que, fuyant les redoutables incursions des Vikings au cours de la seconde moitié du IXᵉ siècle, les populations y trouvaient la protection spirituelle et — bien plus tangible — la sécurité matérielle. On s'y réfugia, on le fortifia et on le défendit. Ce fut sa première fonction de forteresse.

En contrepartie, quelle agitation et que de troubles pour les moines qui, déjà fort affairés par la tradition des pèlerinages, puis jetés dans les tourmentes du siècle, finirent par ne plus observer la règle, par négliger le service de Dieu et par prendre de fâcheuses et durables habitudes. Au point que, tandis que Rollon, premier duc de Normandie après le traité de Saint-Clair-sur-Epte (911), comblait le Mont de libéralités comme pour se faire pardonner ses péchés, son propre petit-fils, Richard Iᵉʳ, dut, en 966, mettre de l'ordre au monastère. Il remplaça les moines « défaillants » par trente bénédictins venus des illustres abbayes de Saint-Wandrille, Évreux, Saint-Malaine et Jumièges.

Avec l'arrivée de ces moines commençait la geste du monastère, une histoire traversée de grandeurs et de drames, et dont on ne peut mesurer toute l'importance sans évoquer la foi ardente des bâtisseurs, la fierté des Normands qui ne reculent devant aucun sacrifice lorsqu'il s'agit de bâtir pour Dieu, sans se souvenir enfin des immenses

La visite du Mont-Saint-Michel

Les remparts et les jardins

Il faut, pour entrer dans ce bourg, franchir successivement trois portes fortifiées (XVe-XVIe s.) [A, B, C]. Par la belle maison de l'Arcade, qui donne aussi sur la Grande-Rue, on peut accéder aux remparts et les suivre par les tours de l'Arcade [D], de la Liberté [E], Basse [F], Cholet [G], Boucle [H] et du Nord [I]. On parvient ensuite (à droite) à l'entrée des jardins en terrasses aménagés sur le flanc nord [J].

Poussant vers le sud à partir de l'entrée de l'abbaye, on suit le chemin de ronde [K] qui, à mi-flanc du Mont, conduit jusqu'aux remparts occidentaux (tour Gabriel [L], petite échauguette [M]).

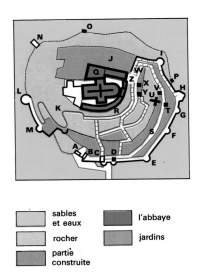

sables et eaux — rocher — partie construite — l'abbaye — jardins

Le tour du Mont

Se fait à pied ou en bateau, selon la marée. Permet de voir au nord-ouest la chapelle Saint-Aubert (XIIIe-XIVe s.) [N], puis la fontaine Saint-Aubert (au nord) [O] et, à l'est, la fontaine Saint-Symphorien [P], mais, surtout, avec un peu de recul, l'ensemble du Mont, et notamment les hautes façades de la Merveille (au nord) [Q] et des bâtiments abbatiaux (au sud) [R].

La Grande-Rue

Au lieu de suivre les remparts, on peut longer, par la Grande-Rue [S], la foule des boutiques et les belles maisons à pignon, avec le musée Historial [T], l'église paroissiale Saint-Pierre (XVe-XVIe s.) [U], le logis Tiphaine [V]. Une série de marches mène ensuite au Grand Degré (escalier d'accès à l'abbaye) [W] et, tout contre, à un élément supérieur de la Grande-Rue (maison de la Truie-qui-file [X], musée historique [Y]).

L'abbaye

En haut du *Grand Degré*, on entre par la *Barbacane* [Z], pour monter au *Châtelet* (XIVe) [1] par la *salle des Gardes* (XIIIe s.) [2]; les billets se prennent à l'aumônerie de la Merveille.

La visite, par les 90 marches du *Grand Degré intérieur* [3] entre l'église et les bâtiments abbatiaux (flanc sud), mène d'abord au niveau supérieur, qui correspond au sommet granitique du Mont (78 m).

Niveau supérieur : on voit successivement la *terrasse de Saint-Gauthier* [4] — du nom d'un prisonnier qui se serait jeté dans le vide — et la *Grande Terrasse* [5], qui forme le parvis de l'église (très belles vues); l'*église* (nef romane des XIe-XIIe s. [6], chœur flamboyant des

---

cohortes de pèlerins venus de tous les coins de l'Europe vers le sanctuaire du « prince du Ciel ».

Le Mont roman

Comme sanctuaire, il y eut d'abord une petite église préromane, élevée à l'emplacement de l'humble oratoire construit par saint Aubert et dont il ne nous reste qu'un mur de granite. Bâtie sur la pente ouest du Mont par les bénédictins de l'abbé Mainard Ier, cette église a survécu au temps avec ses proportions massives, ses deux nefs austères et ses admirables voûtes en plein cintre. Le XVIIe siècle la baptisa Notre-Dame-sous-Terre, car, depuis le XIe, par suite de la construction de l'abbatiale romane que l'on appuya sur ses voûtes, elle n'était plus qu'une crypte. Elle a été dégagée au début du siècle et patiemment restaurée.

Mais, bien vite, cet édifice carolingien devint insuffisant. Hildebert II, troisième abbé du Mont, sous la prélature duquel on mit au jour le corps de saint Aubert dissimulé par un moine récalcitrant à l'arrivée des bénédictins, entreprit de lui substituer une grande église. Mais c'est seulement grâce à l'abbé Ranulphe de Bayeux que le Mont, enrichi des nombreux dons (terres et villages) que lui fit Richard II le Bon, duc de Normandie, put mener à bien cette entreprise considérable et grandiose pour l'époque. Pour édifier ce vaste vaisseau roman, long de 80 m, au sommet d'un mont n'offrant aucune surface plane, il fallut construire trois cryptes accrochées à la paroi rocheuse : la crypte des Gros-Piliers (1023), destinée à supporter le chœur, la crypte Notre-Dame-des-Trente-Cierges (1030), dédiée à la Vierge, et la crypte Saint-Martin (1030), dotée d'une belle voûte en berceau. Ainsi munie d'un soubassement à sa mesure, l'abbatiale put être élevée. La nef à sept travées (4 seulement ont été préservées) est couverte d'un toit lambrissé, selon le style roman de Normandie; ses arcades cintrées, ses chapiteaux sobrement ornés, ses lignes épurées laissent pressentir les élans du gothique.

Le développement de l'abbaye impliquait qu'on lui ajoutât de nouveaux bâtiments conventuels. Ce fut une aumônerie (ou *salle de l'Aquilon*) qui, avec sa double nef, devait servir à accueillir, nourrir et, au besoin, loger les pèlerins pauvres; ce furent aussi un promenoir (le promenoir des Moines servant de cloître), un dortoir, une salle de travail, un réfectoire, une cuisine, puis un cellier et une infirmerie.

Comment imaginer à notre époque la persévérance de ces bâtisseurs, qui durent transporter par mer, sur des pontons, le granite extrait d'une carrière située dans les îles Chausey, à une quarantaine de kilomètres de là? Comment comprendre le travail extraordinaire qu'exigea la taille de ces énormes blocs, hissés ensuite par palans à

La salle des Hôtes,
▼ *gothique et élégante.*

près de 100 m de hauteur? Comment ne pas s'étonner que pareille œuvre ait pu être achevée en moins d'un demi-siècle, compte tenu des moyens techniques rudimentaires de l'époque, des bourrasques et des tempêtes?

Un beau cadeau de Guillaume le Bâtard

On bâtissait sur le Mont-Tombe, mais on y priait aussi et on consacrait de longues heures à de savantes études. En un temps qui fut le plus « européen » de notre histoire, les échanges intellectuels entre les différents monastères de l'Occident furent particulièrement nombreux. Guillaume de Volpiano, célèbre prêtre lombard auquel on dut les réformes des monastères de Jumièges et de Fécamp, fut appelé à exercer quelque influence sur les travaux des moines de l'abbaye du

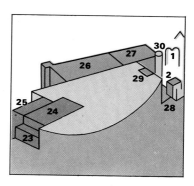

XVᵉ-XVIᵉ s. [7]) dont on peut gravir, à l'extérieur, l'Escalier de Dentelle sculpté sur un arc-boutant [8] (jusqu'à 120 m; panorama), et qui est surmontée par une flèche depuis 1897 (156 m); l'étage supérieur de la Merveille, avec le ravissement du *Cloître* [9] et du *Réfectoire* [10].

Niveau moyen : sous ces derniers, on admire respectivement la *salle des Chevaliers* [11] et la *salle des Hôtes* [12]; sous l'église et la terrasse se trouve la partie romane de l'abbaye (Xᵉ-XIᵉ s.) : à l'ouest, *Notre-Dame-sous-Terre* [13], la *promenade des Moines* [14], la *chapelle Saint-Étienne* [15], la première officialité et des cachots [16], l'*ossuaire* avec la grande roue [17]; en soubassement de l'église et vers l'est, les *cryptes Saint-Martin* (sud) [18] et *Notre-Dame-des-Trente-Cierges* (nord) [19], la *crypte des Gros-Piliers* (est) [20]

et la *salle du tribunal « Belle-Chaise »* [21], flanquée du *Châtelet* et de la *tour Perrine* [22].

Niveau inférieur : à l'ouest sont d'autres cachots [23], la base de Notre-Dame-sous-Terre [24] et la *salle de l'Aquilon* [25]; au nord, le

soubassement de la Merveille (*cellier* [26] et *aumônerie* [27]); à l'est, sous Belle-Chaise, la salle des Gardes, communiquant avec l'aumônerie par la *cour de la Merveille* [28], avec la *citerne* [29] au pied de la *tour des Corbins* [30]. ∎

Notre-Dame-sous-Terre,
▼ *sanctuaire le plus ancien du Mont.*

Mont. De même Lanfranc de Pavie, Anselme d'Aoste, tous deux appartenant à l'abbaye du Bec-Hellouin.

Cependant, il fallait souvent délaisser manuscrits et enluminures pour prendre l'épée. Ainsi, quand Guillaume le Bâtard, fils de Richard II, menacé par les Bretons de Conan, dut faire campagne au-delà du Couesnon, les moines prirent parti pour leur duc et mirent une petite troupe à son service. Vainqueur, en signe de reconnaissance, Guillaume leur concéda des droits seigneuriaux sur les îles Chausey, Sercq et Aurigny. À nouveau aux côtés du duc lors de la conquête de l'Angleterre (1066), les bénédictins virent leur domaine s'accroître des cinq grands évêchés et archevêchés anglais, dont celui de Cantorbéry!

Hélas! le riche héritage de Guillaume le Conquérant fut partagé entre ses fils, et la discorde intervint, puis la guerre. Le Mont-Saint-Michel, où s'était réfugié le cadet, Henri Beau Clerc, dut alors subir

les assauts répétés des deux aînés, Guillaume le Roux et Robert Courteheuse. Il est vrai que les moines ne s'étaient pas contentés de bâtir une superbe abbaye : aux immenses douves marines qui conféraient au roc une rare valeur défensive, ils avaient adjoint, vu l'insécurité des temps, de solides remparts, qui leur permirent de vaincre l'obstination des assiégeants.

Mais, si l'abbaye retrouva la paix, elle dut subir d'autres malheurs : écroulement, en 1083, du côté nord de la nef qu'il fallut relever, incendies successifs allumés, en 1112, par la foudre et, en 1138, par la populace de l'Avranchin. Mais le monastère ne manquait ni de ressources ni de courage; après chaque sinistre on se remettait à l'ouvrage, relevant, consolidant, reconstruisant sans répit. Et c'est là l'une des formes du miracle du Mont que cette perpétuelle « renaissance » au lendemain d'un désastre.

La « Cité des livres »

En 1154, un prieur du Bec-Hellouin, Robert de Torigni, fut élu abbé; il devait compter parmi les plus illustres. Sa culture, sa haute intelligence, sa finesse d'esprit, son habileté dans la négociation et son « sens des affaires » lui permirent de jouer un rôle prépondérant pendant les trente-deux années de son abbatiat. Rôle diplomatique d'abord : ami d'Henri II Plantagenêt, roi d'Angleterre et duc de Normandie, il organisa dans son abbaye la rencontre de celui-ci avec Louis VII, roi de France, tentative de réconciliation qui, d'ailleurs, échoua. Rôle seigneurial aussi : il élargit les possessions du Mont qui, à cette époque, parvint à l'apogée de sa puissance et régna en maître sur toute la région de la baie (hormis Avranches), sur sept diocèses normands, un breton et un angevin, ainsi que sur les îles Anglo-Normandes (Guernesey, Jersey, Chausey). Si son œuvre de bâtisseur n'est pas digne de considération — certaines de ses constructions, maladroitement exécutées, ne furent sauvées de la ruine qu'au XVIIᵉ siècle —, mention doit être faite de la « Cité des livres » qu'il fonda sur le Mont, vaste bibliothèque qu'alimentaient des ateliers de calligraphie et d'enluminure. L'abbé de Torigni s'identifia si complètement à l'abbaye, qu'on le surnomma « Robert du Mont ».

La Merveille

Quelques années durant, rien ne troubla plus la paix du Mont. Mais, en 1203, nouvelle et dure épreuve : Philippe Auguste, roi de France, entra en guerre contre Jean sans Terre, frère de Richard Cœur de Lion, roi d'Angleterre et duc de Normandie. Aux côtés du roi de

Béatilles et brimborions

Autrefois, lorsque les pèlerins accouraient au pied de l'archange, ils trouvaient déjà dans le bourg des boutiques où l'on vendait force béatilles et brimborions, ce qu'aujourd'hui nous appelons bibelots et souvenirs. Ils achetaient gourdes, manteaux, sandales, médailles et insignes de plomb, telle la célèbre coquille Saint-Jacques qui était l'emblème des pèlerins de Compostelle. Les boutiques sont toujours là, serrées les unes contre les autres, le long de la Grande-Rue, et leurs affaires sont florissantes. Il se vend, chaque année, plus d'un million de cartes postales et une quantité impressionnante de dinanderie, bimbeloterie, faïencerie et pacotille, articles qui jamais ne prendront place dans un musée ! ■

▲ *L'étroite Grande-Rue encombrée de boutiques et de badauds.*

▲ *C'est ici, dans le logis Tiphaine, que du Guesclin aurait logé sa femme pendant qu'il combattait en Espagne.*

Remparts et défenses avancées, obstacles successifs ▼ *accumulés contre l'attaquant.*

France, Guy de Thouars, à la tête d'une troupe de Bretons, mit à sac l'Avranchin et attaqua le Mont. Tout ce qui pouvait brûler fut dévoré par les flammes.

C'est de cette suprême infortune qu'allait étrangement surgir la « Merveille ». De fait, Philippe-Auguste, fort mécontent des méfaits de ses alliés, fit à l'abbaye une « donation »... royale. Ce qui conduisit le père-abbé Jourdain à faire construire de nouveaux bâtiments dans le style de l'époque, qu'on appela plus tard « gothique ». Il fallut vingt-cinq années (1203-1228) pour achever l'édification de cet ensemble qui compte parmi les plus authentiques chefs-d'œuvre du Moyen Âge.

« Une chose sublime, une pyramide merveilleuse » dominant « tantôt un désert de sable, comme Chéops, tantôt la mer comme à Ténériffe » (Victor Hugo). Les architectes normands n'ont peut-être pas « inventé » le gothique, mais, au sommet de ce Mont fouetté par les pluies et les vents, ils ont atteint à une perfection presque insoutenable. Cet impressionnant entassement d'édifices, au flanc nord de l'abbaye, ne naquit pas « d'un seul jet »; les travaux « monumentaux » exigeaient aussi des qualités d'orfèvre. Là de puissants contreforts enracinés dans le socle de granite, là des formes élégantes, là une ornementation pleine de finesse et de grâce..., tous ces divers aspects s'entremêlant dans une harmonie architectonique étonnante. Dénuée d'artifices, la Merveille constitue, par la pureté de ses lignes, l'heureux équilibre de ses volumes et la rigueur de sa conception, un grand moment de l'art occidental.

Sa construction se fit en deux temps : deux bâtiments élevés indépendamment dans le prolongement l'un de l'autre, mais qui, dans leur juxtaposition, trouvent une unité. Trois niveaux s'y superposent. L'aumônerie et le cellier se partagent le rez-de-chaussée. L'aumônerie, longue de 35 m, divisée en deux nefs et couverte d'une voûte d'arêtes d'inspiration romane, était destinée à accueillir les pauvres, qui y trouvaient nourriture et paille pour se reposer. Elle sert aujourd'hui de salle d'attente. Quant au cellier, avec sa vaste salle à trois nefs, elles aussi dotées de voûtes d'arêtes d'une égale austérité architecturale, il servait à la conservation des denrées alimentaires : c'était le magasin d'approvisionnement.

À l'étage supérieur, deux admirables « salles » : la salle des Hôtes et la salle des Chevaliers. La première, comme son nom l'indique, était utilisée par les abbés pour recevoir les rois et les visiteurs de marque; à cet effet, ses deux nefs à voûtes sur croisées d'ogives, toutes d'élégance et de sobriété, furent à l'époque pourvues d'une décoration très riche dont il ne nous reste malheureusement aucun vestige. La sévérité des édifices monastiques, ici quelque peu oubliée, réapparaît dans la salle des Chevaliers, répartie en quatre nefs à voûtes d'ogives. Cette vaste salle (26 m sur 18), chauffée par deux

cheminées, servit de *scriptorium* (salle de travail) aux moines. Elle doit son nom à la fondation par Louis XI de l'ordre des Chevaliers de Saint-Michel (1469), mais il ne semble pas que le chapitre de l'Ordre s'y soit jamais réuni.

Enfin, le troisième niveau comporte le Réfectoire, large pièce à nef unique, couverte d'une voûte lambrissée soutenue par une arcature délicate dont les moines de Saint-Maur, au XVIIᵉ siècle, méconnurent la beauté, qu'ils saccagèrent gravement en voulant partager le réfectoire en deux étages; et, surtout, le plus précieux joyau du Mont-Saint-Michel, le cloître. « Au XIIIᵉ siècle, le moine, qui se promenait en méditant sous ces portiques formés de deux rangées de sveltes colonnettes disposées en quinconce, n'avait rien que de délicat sous les yeux. Dans chaque écoinçon, il y avait un rinceau de feuillage finement sculpté [...]. Cette riche dentelle de feuillage était peinte et se détachait sur des fonds colorés. Dans ce beau cloître, la couleur

▲ *Le corps de garde*
des Bourgeois,
datant du XVIᵉ siècle.

▲ *Aujourd'hui, la gastronomie*
participe à la vie du Mont.

La glorieuse omelette de la Mère Poulard

Les centaines de milliers de visiteurs qui chaque année se pressent au Mont-Saint-Michel ne sont point tenus, comme jadis les moines, de se plier à la stricte observance de la « règle bénédictine » : ils peuvent se restaurer. La gastronomie fait en effet aujourd'hui partie intégrante de la vie montoise. Dans l'unique rue du Mont, la Grande-Rue, ce ne sont qu'hôtels avec « chambres sur la mer », que restaurants avec « salles et terrasses sur la mer ». Partout on sert la célèbre omelette baveuse dont l'invention reviendrait à la « Mère Poulard ». Partout d'excellentes huîtres de Cancale. Partout, évidemment, le savoureux gigot d'agneau « de pré salé ». À la vérité, il est servi au Mont tant de gigots de pré-salé, qu'il est permis de se demander si, chaque mois, ne se renouvelle pas, grâce à l'archange, quelque multiplication des troupeaux de moutons dans les polders voisins. Miracle ou non, les gigots sont dignes d'intérêt.

À l'authentique auberge de la Mère Poulard (1873), un personnel expérimenté prépare, en public et en cadence, les omelettes qui ont fait la gloire de la maison. Fouettées dans des cuves de cuivre rouge, cuites au feu de bois dans des poêles à très longue queue, elles constituent un mets honorable en même temps qu'une attraction pour les badauds. ■

était partout : elle éclatait sur la charpente des combles, sur la pierre des arcades, sur les tuiles vernissées de la toiture [...]. Quand on passait sous le portique du Nord et qu'on regardait par les petites fenêtres, on n'apercevait rien autre chose que la mer. Devant cet infini, l'âme eût été prise de vertige si le gracieux rythme du cloître ne lui eût rendu le sentiment de l'harmonie » (Émile Mâle). Plus de 200 colonnettes entourent cet édifice ciselé dont on date la construction des années 1225-1228, sous Raoul de Villedieu. Le raffinement de l'exécution, œuvre d'artistes normands qui surent adapter le style gothique à leur goût pour les dispositions géométriques, n'a jamais semble-t-il été égalé.

Le Châtelet face aux Anglais

Cependant l'histoire du Mont-Saint-Michel ne s'achève pas avec la construction de la « Merveille ». Au cours de la guerre de Cent Ans, le Mont fut appelé à jouer un rôle important. C'est ainsi que, pour le préserver d'assauts éventuels, on entreprit à nouveau de fortifier l'abbaye. Heureuse initiative, car, dès 1346, après leur victoire de Crécy, les Anglais s'en approchèrent dangereusement. Dix ans plus tard, ils s'emparaient de Tombelaine. Le pauvre roi Charles V dut ordonner aux habitants des communes voisines de prêter main-forte à la faible garnison et de faire le guet. C'est à cette époque que Bertrand du Guesclin, capitaine de Pontorson, fut nommé pour un temps capitaine du Mont. Mais la maison que l'on montre comme ayant été celle qu'occupa alors Tiphaine, la femme du vaillant chevalier, n'est évidemment pas d'époque.

Si l'on doit la construction de la chapelle Sainte-Catherine à l'abbé Geoffroi de Servon, c'est à Pierre Le Roy, encouragé par le roi Charles VI et choisi comme référendaire par le pape Alexandre V, que revient le mérite d'avoir édifié le Châtelet, destiné à couvrir l'entrée de l'abbaye, à l'est (fin du XIVᵉ s.). Situé au sommet du Grand Degré abbatial, encadré de deux énormes tours arrondies qui se dressent telles de gigantesques bombardes, il est percé d'une porte que ferme une herse. Créneaux, barbacanes et tour Perrine le protègent de l'ennemi. Ces ouvrages défensifs, qui transformèrent le monastère en une forteresse inviolée, peuvent surprendre de la part d'un théologien, qui se révéla ici un merveilleux architecte militaire. Remparts et tours fortifiés furent encore renforcés au cours du XVᵉ et du XVIIᵉ siècle, sous la prélature de Robert Jolivet, puis sous celle de Louis d'Estouteville (première moitié du XVᵉ s.).

Après la défaite des Français à Azincourt (1415), les Anglais soumirent la Normandie, occupèrent Avranches, Pontorson, reconquirent Tombelaine et, en 1419, entreprirent le siège du Mont. En 1425, toujours obstinés, ils achevèrent de resserrer le blocus avec une flotte de navires rassemblés à Granville. Les défenseurs de l'abbaye firent alors appel aux vaisseaux de Saint-Malo, qui surprirent l'ennemi et le taillèrent en pièces. On vit dans cette victoire navale le signe d'une prochaine délivrance due à l'intervention de l'archange céleste. D'ailleurs, à la même époque, Jeanne d'Arc se levait et galvanisait toutes les énergies nationales. Ne s'était-elle pas placée sous la protection de saint Michel ?

La délivrance n'intervint toutefois que plus tard, au lendemain de la victoire de Formigny (1450), par laquelle la Normandie et le Mont en finirent avec les Anglais.

Le chœur flamboyant

La paix revenue, le cardinal Guillaume d'Estouteville fut nommé abbé commendataire. Fort riche lui-même et ayant de nombreuses relations, il collecta des fonds auxquels vinrent s'ajouter les dons de visiteurs royaux : la reine Marie, femme de Charles VII, puis Louis XI, qui vint quatre fois en pèlerinage. Il put ainsi entreprendre la reconstruction du chœur de l'abbatiale romane, effondré en 1421. Le style gothique flamboyant de l'époque présida à l'exécution de cette voûte magistrale, haute de 24 m, où tout n'est qu'équilibre et harmonie : une série de travées élancées, plus étroites qu'à Saint-Ouen de Rouen, Bayeux ou Lisieux, un triforium élégant à balustrade ajourée, de hautes fenêtres formant verrières... Là encore, pas de sculpture ni d'exubérante ornementation comme à Alençon ou à Louviers. À l'extérieur, l'abside offre au regard un extraordinaire enchevêtrement de balustrades, de pinacles, d'arcs-boutants de décoration somptueusement flamboyante, qu'on retrouve dans l'élégant Escalier de Dentelle. L'archéologue-historien Germain Bazin, qui a tout dit de ce qui devait être dit sur le Mont-Saint-Michel, nous communique son émerveillement devant les envolées gothiques du chœur de l'abbatiale : c'est là, selon lui « la dernière fusée lancée vers le ciel par le Moyen Âge expirant ». Il est vrai : c'est bien l'expression suprême de l'art gothique dont le « lyrisme vertical » n'a jamais jailli avec plus de pureté.

À la vérité, quand s'achève, en 1518, la construction du chœur, s'achèvent aussi les heures les plus glorieuses du mont de l'Archange. Pendant les guerres de Religion, qui ensanglantèrent la France, le Mont, ayant pris parti pour la Ligue, eut à combattre les protestants du redoutable Montgomery, qui dut capituler à Domfront. Une fois de plus, la foudre tomba sur le clocher de l'abbatiale, et une fois de plus les dégâts furent considérables. Moins, pourtant, que ceux que l'on eut à déplorer par la suite.

Les îles Chausey sont à une heure de bateau de Granville. L'amplitude importante des marées fait considérablement varier l'aspect de ce petit archipel granitique : 52 îlots et rochers lorsque la mer est haute, pour plus de 300 lorsqu'elle est basse. Mais, seuls, deux de ces « cailloux » se distinguent des autres par la taille : l'îlot des Huguenans, paradis des oiseaux, et, à 16 km de la côte, la Grande Île, très verdoyante, où s'est regroupée la population, soit une centaine d'habitants qui vivent de la pêche aux crustacés (bouquets, ormeaux, praires) ainsi que du tourisme.

On peut voir les carrières dont le granite brun servit à la construction de l'abbaye du Mont-Saint-Michel. ■

▲ *Les îles Chausey,
à la sauvage solitude.*

Marais et polders

En bordure de la baie du Mont-Saint-Michel, de la pointe du Château-Richeux, non loin de Cancale, à l'embouchure du Couesnon, le marais a progressivement gagné sur la mer. Dès le XIIᵉ siècle, on entreprit des travaux d'assèchement; ce sont aujourd'hui 15 000 ha environ, consacrés notamment aux céréales et aux primeurs. Surprenant paysage enserré entre une digue, longue de 36 km, et une ligne de collines de faible altitude, à l'intérieur des terres, là où se trouvait l'ancien littoral.

En terre bretonne aussi, à l'ouest du Couesnon, l'emprise de l'homme sur la mer s'est traduite par la réalisation de polders, larges étendues côtières (de 2 à 5 km) dont l'aspect évoque les Pays-Bas. ■

Au Mont, comme dans tous les monastères, les abbés commendataires ne résidaient pas; ils touchaient les revenus et laissaient les moines sans direction. C'est pourquoi le nombre des religieux décrut peu à peu, la règle fut oubliée, les mœurs se relâchèrent. Il fallut à nouveau remplacer les moines infidèles, cette fois-ci par des moines de Saint-Maur, hommes pieux et savants qui arrivèrent au nombre de neuf dans une abbaye à demi en ruine. Par malheur, ces érudits manquaient de goût et de discernement. Bien loin d'entreprendre les réparations indispensables, ils ajoutèrent au désastre. L'admirable réfectoire, la salle des Hôtes furent divisés en deux étages par des planchers placés à mi-hauteur. La chapelle Sainte-Madeleine devint buanderie. Les trois dernières travées de la nef romane, atteintes par la foudre, furent entièrement rasées et l'entrée de l'église déparée par un portail sans le moindre intérêt architectural.

La cage de fer était en bois

Le Mont, qui n'était plus qu'une pauvre abbaye, connut la dernière infortune : il fut réduit au sort de prison d'État avant d'être une « maison de force » pour bagnards! C'est Louis XI qui, en pèlerinage au Mont en 1462, y vit les cellules où l'on enfermait quelques malandrins, voire quelques moines en rupture de ban. Se connaissant force ennemis, il décida de les faire écrouer dans cette abbaye-forteresse. On aménagea alors ces cachots où le roi et ses successeurs purent désormais « encager » des victimes arbitraires de Sa Majesté.

Trente chambres composaient ce que l'on appelait le Grand et le Petit Exil. On a évalué à 147 (dont 94 internés à la requête des familles) le nombre des prisonniers entre 1615 et 1789. Nous sommes là bien loin des 600 000 captifs enchaînés des cachots, oubliettes et salles de torture dont parla le XIXᵉ siècle. Quant à la « cage de fer », qui a naguère fait les délices de certains guides, elle était en bois et mesurait environ 3 m sur 2,50 m. Imaginée, croit-on, par l'infortuné cardinal Balue, aumônier de Louis XI, puis conseiller, évêque et prince de l'Église, elle aurait été inaugurée par son inventeur lui-même, convaincu de trahison. À la vérité, Balue fut enfermé pendant neuf ans au château de Loches, où existe une autre « cage de fer ». Libéré, il vécut jusqu'à 71 ans... sans avoir jamais connu le Mont-Saint-Michel. La cage de bois où l'on devait enfermer les prisonniers révoltés était en fait le « mitard » de l'époque. Elle aurait été détruite en 1777, à la demande du jeune duc de Chartres (le futur Louis-Philippe) qui visitait l'abbaye et ses prisons.

En 1789, alors que la Révolution baptisait le Mont-Saint-Michel le « Mont libre », il n'y avait plus au monastère que sept religieux. Dans les « exils », on trouva trois moines enfermés pour mauvaise conduite

et quelques déments; tous furent libérés. Puis... les sinistres geôles furent, sur ordre des tribunaux révolutionnaires, remplies de prêtres réfractaires (la plupart fort âgés) et de suspects.

Le premier Empire aggrava les choses. Aux prisonniers politiques il ajouta les condamnés de droit commun, car le Mont était devenu « maison de force ». Alors, les magnifiques salles élevées au Moyen Âge, la nef de l'abbatiale, les chapelles rayonnantes du chœur furent, elles aussi, divisées en deux étages et transformées en ateliers, dortoirs, cuisines. Pour hisser ravitaillement et matières premières, on construisit le monte-charge (35 m) et sa grande roue, actionnée par des prisonniers. Dans l'abbatiale profanée, on fabriquait chapeaux de paille, boutons et autres béatilles.

Au lendemain des émeutes parisiennes de février 1839, Barbès, Blanqui et plusieurs de leurs compagnons furent incarcérés au Mont. Ils tentèrent de s'évader en 1842, mais échouèrent, car Barbès tomba juste aux pieds d'une sentinelle! Plus heureux, Colombat réussit à s'enfuir, ce qui lui permit d'entrer dans la petite histoire du Mont.

Il fallut attendre 1863 et un décret de Napoléon III pour voir la prison supprimée et l'abbaye cédée en location à l'évêque de Coutances. Mais tout n'était que ruines et désolation! Grâce au concours financier de l'Empereur, la remise en état put être entreprise : l'architecte Édouard Corroyer reçut de la Commission des Monuments historiques une mission de « restauration ». L'œuvre, immense, se poursuit toujours. Plus d'un siècle d'efforts et de crédits a permis de restituer à l'abbatiale et à la « Merveille » leur splendeur première. En 1966, à l'initiative du P. Riquet, le président de la République permit le retour des moines de Saint-Wandrille et du Bec-Hellouin pour commémorer, avec quel inoubliable éclat, le millénaire monastique du plus beau monastère de l'Occident. Prolongeant cette commémoration, qui comporta des manifestations œcuméniques et internationales, deux bénédictins sont restés dans l'abbaye. Cette modeste « communauté », en maintenant une présence religieuse au pied de l'Archange, renoue avec un prestigieux passé.

Au péril du touriste?

Longtemps à la charnière de deux provinces et convoité par deux royaumes, le Mont-Saint-Michel apparaît aujourd'hui, au milieu de l'infini des sables et des eaux, comme une gigantesque épopée architecturale, libre de toute attache terrestre ou temporelle. Sur cette montagne de la Merveille, qui a porté sa part de l'histoire de notre nation, sur ce poème de pierre qui monte vers les nuées comme une éternelle supplique, veille à plus de 150 m au-dessus de la mer, surmontant le clocher roman, la statue en bronze de saint Michel,

▲ *La petite butte de Mont-Dol prend des allures de montagne dans le plat marais de Dol.*

De Pontorson à la pointe du Grouin

« Li Couesnon a fait folie Si mist le mont en Normandie », déclare le dicton. De fait, en franchissant la rivière à Pontorson (à 9 km du Mont vers l'intérieur), on découvrira la Bretagne. La petite ville de *Pontorson* conserve peu de vestiges de son riche passé; pourtant, elle fut une importante forteresse sous le duc Robert, frère de Guillaume le Conquérant. Sa réputation tient aujourd'hui surtout à la gastronomie : fruits de mer, poissons, moutons de pré salé.

Du Mont-Saint-Michel à la pointe du Grouin, limite occidentale de la baie, la route s'écarte de la mer. Mais la vue demeure superbe lorsqu'on parvient sur la butte granitique du *mont Dol* (65 m); des bois et des marais alentour émergent une soixantaine de clochers, dont, dans le lointain, celui de l'abbaye.

Dol-de-Bretagne occupe aussi une éminence, mais moins isolée. Ses maisons médiévales bretonnes, sa cathédrale gothique normande à l'ample nef, et, à 1 km au sud, le menhir du Champ Dolent en font un point de rencontre entre Bretagne et Normandie.

Fuyant vers Cancale, longtemps enclave normande en terre bretonne et important centre ostréicole, puis vers la pointe du Grouin dont la masse dénudée est battue par la mer et le vent, la côte bretonne de la baie du Mont-Saint-Michel n'est guère touristique. Vivier, Cherrueix, Saint-Benoît-des-Ondes..., ce sont, à marée basse, d'immenses étendues humides de sable et de tangue, parsemées de joncs marins. ■

Combien de pèlerins, venus implorer l'Archange,
▼ *ont traversé la baie...*

réalisée en 1897 par Frémiet. À ses pieds, ce ne sont plus les pieuses multitudes qui jadis venaient implorer l'Archange. Mais croyants ou incroyants, en pénétrant dans ce « château de Dieu », ne peuvent oublier que des générations de moines et de tâcherons ont écrit, « au péril de la mer », le message mystique de plusieurs siècles.

Chaque année, près de 500 000 visiteurs (496 628 en 1973) envahissent les ruelles du bourg (105 hab.), venus des diverses parties du monde pour admirer ce petit monde médiéval, précieusement conservé. Étals de souvenirs, enseignes d'auberges et d'hôtels offusquent les vieilles maisons à pignon de la Grande-Rue, axe principal de la petite cité; mais n'en était-il pas de même au temps des grands pèlerinages où existaient déjà des cabarets et des boutiques qui vendaient gourdes et longs manteaux, sandales et médailles, et la coquille, emblème des pèlerins? C'est à l'occasion de la fête de Saint-Michel, au printemps, et de la fête de l'Archange, à l'automne,

que le Mont retrouve l'atmosphère de liesse et de ferveur populaires qui autrefois l'animait.

Hier « au péril de la mer », le Mont-Saint-Michel est peut-être désormais « au péril de la terre ». Déjà, au siècle dernier, on créa des polders. Par la suite, on construisit une digue insubmersible (1879), bientôt pourvue d'une route. C'en était fini de l'insularité du Mont, d'autant que la digue avait pour but d'activer l'ensablement des grèves. Le but a été atteint. Chaque marée apporte dans la baie des dizaines de milliers de mètres cubes de sable que rien ne « chasse » plus vers le large. L'herbu progresse; avant longtemps, le Mont se dressera au centre d'une prairie. La gastronomie y gagnera... des agneaux de pré salé. La Merveille de l'Occident y perdra de sa souveraine beauté. Le grand vaisseau, qu'à certaines heures semblent porter les flots, ne sera plus qu'une épave échouée au milieu des troupeaux et des parkings.

▲ *Au nord de la baie,*
le port de Granville niché
au pied de son église de granite.

Un chapelet de plages :
de Carteret à Avranches

Il serait dommage, allant au Mont, de ne pas s'accorder une longue flânerie tout autour de sa baie. Loin d'être monotone, cette partie de la côte de la Manche, plutôt méconnue, présente une extrême diversité de paysages.

Malheureusement, pour la portion du littoral qui s'étire de Carteret à Granville, l'accès n'est pas toujours aisé, et seules les anciennes « routes à goémon » permettent d'atteindre le rivage. La côte jouit d'un climat relativement doux, bien que balayée par un fort vent d'ouest : on y cultive de véritables « crus » de légumes. Elle s'étale, au pied des doux reliefs du Cotentin, sur d'immenses plages de sable fin dont l'aspect, souvent désolé, n'est pas dénué de charme. À marée basse, la mer fuit très loin, jusqu'à 3 ou 4 km en certains endroits, accentuant la nudité de ces horizons. La vie s'est implantée à l'abri des anses, au bord des havres et des petits estuaires des fleuves côtiers. *Carteret*, installée sur un cap rocheux d'où l'on découvre une vue magnifique sur les côtes est et ouest du Cotentin, a choisi pour sa plage une anse exposée au midi. De cette petite station partent des vedettes conduisant les excursionnistes à Jersey ou à Guernesey. Plus bas, après le rivage nu de Barneville-Plage, c'est le vieux bourg de Portbail avec son église romane du XIᵉ, Notre-Dame, sise au bord de l'eau. Maisons et petites stations s'égrènent jusqu'à Granville : Saint-Germain et son port de pêche, Gouville-Plage, Blainville-sur-Mer, Regnéville, Coutainville, Hauteville-sur-Mer, Bréhal-Plage... Le camping a trouvé dans ces espaces « presque vierges », parmi les dunes, des terrains à sa convenance. Plus sauvage encore que la zone côtière, progressivement pénétrée par le tourisme, l'arrière-pays vaut un détour. Suivant les chemins paresseux du verdoyant bocage, on ne manquera pas de faire un crochet

de quelques kilomètres jusqu'à Lessay et ses célèbres landes que chanta Barbey d'Aurevilly ; son abbatiale romane (XIᵉ s.), atrocement mutilée pendant la Seconde Guerre mondiale, a retrouvé sa beauté première.

Au fur et à mesure que l'on progresse vers le sud, la vie balnéaire s'intensifie. *Granville*, que l'on a bien à tort surnommée « le Monaco du Nord », ne manque pas de caractère. Jadis cité de corsaires et de terre-neuvas, elle conserve, au pied de la pointe du Roc, sa ville haute du XVIIIᵉ, ceinturée de remparts austères. De son phare, le panorama embrasse toute la baie du Mont-Saint-Michel et, par beau temps, la vue s'étend jusqu'aux îles Chausey — qui lui appartiennent —, Jersey et jusqu'au cap Fréhel. C'est là l'une des villes les plus vivantes de la Manche. Port de commerce, port de pêche, port de plaisance, elle dispose du plus remarquable bassin de yachts de la côte ouest du Cotentin. Son école de voile, son centre de nautisme, ses cures marines méritent leur réputation. Là aussi, une visite à l'intérieur des terres dévoile des sites dignes d'intérêt : les ruines des abbayes de Lucerne (XIIᵉ s.), nichée au creux d'un vallon solitaire, et de Hambye (XIIᵉ s.), dans la vallée de la Sienne.

La route littorale qui conduit à Avranches offre quelques beaux aperçus sur la baie, du cap de Carolles-Champeaux notamment (on peut de là se rendre à pied au Mont-Saint-Michel, distant de 14 km), ou, plus bas, de la pointe du bec d'Andaine (on aperçoit à proximité le rocher de Tombelaine). Tout au long du trajet, on ne cesse d'apercevoir la majestueuse silhouette du Mont, cette « châsse gigantesque sur un voile de feu, maison de vertige » (Michelet), sur laquelle s'ouvre la baie d'Avranches. Évêché dès 511, *Avranches* joua un rôle important dans l'histoire du Mont. C'est sur le parvis de son ancienne cathédrale qu'Henri II Plantagenêt, coupable du meurtre de Thomas Becket, vint, au cours d'un

concile organisé par Robert de Torigni, implorer son pardon. Son musée contient de précieux manuscrits (VIIIᵉ-XVᵉ s.) provenant du mont de l'Archange. Mais la ville, perchée au sommet d'une colline, porte la marque d'une histoire plus récente : le général Patton et son armée, qui, en juillet 1944, avaient troué les lignes allemandes à l'ouest de Saint-Lô, opérèrent ici leur seconde percée, décisive.

La région de la baie d'Avranches, arrosée par la Sée et la Sélune, est le paradis des amateurs de chasse au canard et de pêche à l'anguille. ■

Tous les ans...

Granville :
Pardon des Corporations et de la Mer (dernier dimanche de juillet).
Lessay :
Grande foire millénaire de Sainte-Croix (aux environs du 10 septembre).
Mont-Saint-Michel :
Fête de la Saint-Michel de printemps (premier dimanche de mai);
Fête de l'archange saint Michel (fin septembre-début octobre);
Pèlerinages : 29 septembre et 16 octobre. ■

de la Seine au Cotentin
Côte Fleurie
et Côte de Nacre

*R*iche, mondaine, un peu snob,
Deauville est la reine incontestée
de la Côte Fleurie, qui,
de Honfleur à Cabourg,
égrène sur le littoral normand
le chapelet de ses élégantes
stations balnéaires.

◄ *Vastes espaces*
pour baigneurs et cavaliers :
la plage d'Houlgate.

▲ *Course de chevaux*
sur l'hippodrome
de Clairefontaine.

▲ *À l'heure de l'apéritif,*
le Tout-Deauville se presse
sur les «planches».

Estuaire de la Touques
une balise guid
les plaisanciers

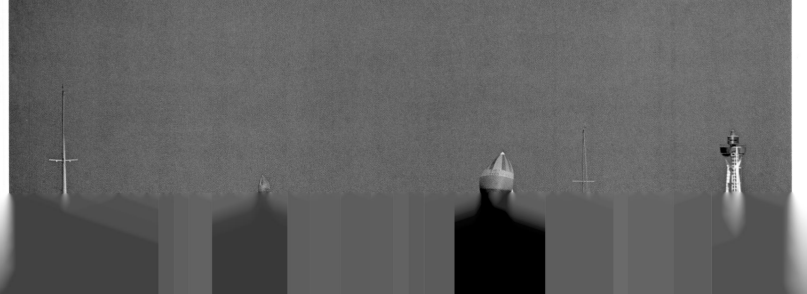

4. Côtes Fleurie et de Nacre

Témoins d'une époque révolue, ▲
des villas au charme suranné
bordent la plage.

Derrière le front de mer, ▶
la colline boisée où
se nichent d'élégantes résidences.

Lancé dès 1830
par un groupe d'artistes,
le petit port de pêche de Trouville
devint rapidement
un lieu de villégiature à la mode
et, sous le second Empire,
il était le rendez-vous
du Tout-Paris.

Devant le Vieux Bassin d'Honfleur, ▶
la Lieutenance,
vestige du castel où logeait
le gouverneur de la ville.

Largement ouverte ▲
aux loisirs des Caennais,
la grève tapissée
d'algues vertes
de Luc-sur-Mer.

Vue de la ▶
pointe de Saire,
l'île de Tatihou,
dont Vauban
fit une forteresse.

▲ À l'ouest du Cotentin,
les pâturages de Diélette
commencent au ras
de la plage.

Rocailleux, dénudé, solitaire, ▶
le Nez de Jobourg
s'enfonce comme une étrave
dans les eaux de la Manche.

Moins sophistiquées que la Côte Fleurie,
la Côte de Nacre et celle du Cotentin offrent aux amateurs
d'espace et d'air pur leurs immenses plages
nettoyées par les plus hautes marées d'Europe,
tous les fruits de la mer,
les effluves iodés de leur climat vivifiant
et le charme reposant de leur campagne bocagère.

▲ *Vue du nouveau port de Deauville,*
Trouville, sa plage,
ses grands hôtels
et sa colline boisée.

Bordée par les célèbres «planches»,
la plage de Deauville, émaillée
▼ *de parasols multicolores.*

Entre l'embouchure de la Seine et la pointe du Cotentin, le littoral normand n'est pas tout à fait la côte la plus proche de la capitale, mais c'est la plus mondaine et la plus facile d'accès. C'est aussi celle qui fut le théâtre d'une des hécatombes les plus dramatiques de l'histoire. C'est surtout la plus changeante, la plus subtile, la plus insaisissable, celle dont les imperceptibles variations d'humeur ont fasciné bien des peintres...

La rencontre entre la terre et la mer y prend toutes les formes : large frange de sable au pied des verdoyantes collines du pays d'Auge; plages lisses à l'infini, découvertes jusqu'à l'horizon à marée basse, là où vient mourir, avec ou sans marais, la « campagne » de Caen, entre la Dives et la Seulles; falaises blanches, courtaudes, friables, par où le Bessin domine la Manche, et qui parfois croulent en « chaos »; polders défendus par des digues dans le creux de la baie des Veys; longs cordons de dunes douces, sur la côte orientale du Cotentin; et enfin, pour coiffer la presqu'île, sombres rochers de granite, d'abord enlisés dans le sable, puis s'élevant peu à peu jusqu'à l'échine noire, déchiquetée, du Nez de Jobourg, qu'assaillent sans trêve les vagues.

Ce rivage a maints titres de gloire, et des plus divers. À l'est, sur la Côte Fleurie, Honfleur a traversé les siècles à peu près telle que Champlain la quitta pour aller fonder Québec; à Trouville revient l'honneur d'avoir lancé, dans les années 1830 (presque simultanément avec Dieppe), la mode des bains de mer; Deauville est le rendez-vous du monde international des courses, du polo, du bridge, des jeux et de l'élégance; tout proustien qui se respecte va en pèlerinage à Cabourg; et c'est à Dives que Guillaume le Conquérant embarqua pour la conquête de l'Angleterre...

À l'ouest, sur la Côte de Nacre et le littoral du Bessin et du Cotentin, les huîtres de Courseulles étaient jadis très renommées auprès de l'aristocratie parisienne, qui les recevait par coursiers spéciaux; les plages du débarquement et les milliers de croix blanches des cimetières militaires rappellent la tragique et glorieuse aventure de juin 1944; et le port de Cherbourg symbolise la victoire des hommes sur la mer, après une lutte qui dura de Louis XVI à Napoléon III.

Prestigieuse Deauville

Parmi toutes les stations balnéaires de la côte normande, la palme du prestige revient sans conteste à Deauville.

Non pour la situation privilégiée qu'elle occupe (avec Trouville) à l'embouchure de la Touques, là où l'étroite vallée, incisant ses méandres dans la verdure foisonnante du pays d'Auge, s'épanouit brusquement.

Non pour le charme très particulier de ses villas rococo, cossues, à colombage tarabiscoté, avec coins et recoins, pignons et toits pointus; de ses jardins soignés; de ses rues tirées au cordeau; de sa mairie d'opérette; de son casino blanc, sorte de Trianon 1900, séparé de la mer par une large esplanade que se partagent courts de tennis, terrains de sport et jardin public.

Non pour ses fleurs, pour ses barrières blanches, pour le « chic bon genre » de ses estivants — blazer et flanelle blanche —, pour les

Les environs de Deauville

Une des traditions de Deauville consiste à se désintéresser complètement de son arrière-pays, hormis le mont Canisy. C'est dommage : le bocage, avec ses haies vives et ses longues maisons basses, à colombage et parfois à toit de chaume, plantées au milieu d'un pré où les vaches ruminent paisiblement sous des pommiers à cidre (le célèbre cidre de la vallée d'Auge), mérite que l'on flâne sous les ombrages de ses petites routes buissonnières. Au printemps surtout, quand la floraison y déploie des camaïeux de blancs et de verts... Au détour du chemin, on bute sur un vieux presbytère signalé par un saint dans sa niche (au mont Canisy), sur une église enfouie dans la verdure (à Barneville), sur une chapelle vénérable (Saint-Arnoult), sur un étang romantique où se mire une vieille église emmitouflée de lierre (à Cricquebœuf).

Le *mont Canisy* est un exemple parfait d'intégration de résidences secondaires dans la nature. D'anciennes fermes — pierres blanches, poutres, colombages et toits d'ardoise — ont été restaurées, ou même démontées dans les environs et soigneusement remontées, pour reconstituer, dans un cadre de verdure, un village typique, baptisé Hauts-de-Deauville. De ses 100 m d'altitude, on jouit d'une vue aérienne sur la baie et sur le bocage. On est tout près du New-Golf, aménagé sur le versant de la colline, et l'on peut aller, en se promenant, admirer les ruines du château de Lassay où dansa la du Barry. ■

▲ *Colombage, balcons de bois et toits pointus : le style « rustique normand » des premières villas de Deauville.*

couleurs vives des parasols de sa plage et le bleu voilé de son ciel...

Mais pour son ambiance, pour ses célèbres « planches » qu'ont arpentées toutes les personnalités de la haute société internationale, Deauville est un monde clos, avec son étiquette et ses rites qui permettent de départager d'emblée l'initié du profane. C'est aussi un paradoxe : sur cette côte normande où l'homme s'est enfin laissé apprivoiser par la mer, où il a oublié sa défiance millénaire pour découvrir les joies du soleil et de l'eau, Deauville, qui est frangée de sable fin sur 3 km — de la Touques aux falaises de Bénerville —, ignore sa plage. Au point que Tristan Bernard l'appelait « cet endroit si proche de Paris et si loin de la mer » !

Deauville a été créée pour et par les courses, et elle ne l'a jamais oublié. L'idée en revient au duc de Morny, demi-frère de Napoléon III, féru de courses « à l'anglaise ». Les Britanniques ayant acquis une maîtrise inégalée dans l'élevage du pur-sang, le duc incita ses amis à acheter des chevaux outre-Manche afin de constituer une écurie française capable de rivaliser avec celle d'Albion. Cette initiative donna un essor fantastique aux haras normands, spécialisés jusque-là dans le robuste percheron. Leurs barrières blanches essaimèrent dans tout l'arrière-pays d'Auge, dont l'herbe est, paraît-il, plus fine que celle du Cotentin, jugée trop grasse pour les chevaux de course.

Délaissant Trouville et ses collines, le duc de Morny et sa coterie — le banquier Laffitte, le prince Demidoff, etc. — émigrèrent sur la rive gauche de la Touques et se firent construire de somptueuses villas sur d'anciens marais dont la platitude se prêtait admirablement à la création d'un hippodrome. Celui-ci vit le jour en 1900, et le cœur de Deauville commença vraiment à battre. De Trouville, on prit l'habitude de passer le pont, en calèche, pour aller aux courses. Puis, d'Angleterre, on traversa la Manche.

Deauville serait peut-être restée un petit satellite raffiné de Trouville sans le maire de cette dernière, Henri Letellier. Propriétaire d'un journal parisien, Letellier avait un sens aigu de la promotion publicitaire. En 1906, il débaucha Eugène Cornuché, le maître d'hôtel de l'un des plus célèbres restaurants du monde, le très parisien Maxim's, pour insuffler un peu de vie au casino de Trouville. Ce fut un triomphe. On accourut de partout. Mais les autochtones estimèrent que les trompettes de la renommée ne leur laissaient que des miettes : le maire fut battu aux élections de 1911.

Dépité, Letellier décida de faire de Deauville la rivale de l'ingrate Trouville et franchit la Touques avec Cornuché. Dès 1912, Deauville était dotée de son casino et de l'hôtel Normandy, prototype du style « normand 1900 » qui allait devenir celui de la station tout entière. Le Tout-Maxim's, c'est-à-dire tout ce qui « portait un nom » en Europe, y transporta ses pénates, et ses 600 chambres se révélèrent rapidement insuffisantes. On mit en chantier une énorme bâtisse blanche : le Royal. Une jeune couturière ouvrit sa première boutique à côté du casino et grignota la clientèle du tout-puissant Poiret : c'était Coco Chanel.

1914 : la guerre. Les hôtels accueillent les blessés rapatriés du front. L'hippodrome sert de pâturage aux chevaux de l'intendance.

1920 : les « années folles ». Deauville donne rendez-vous au monde, et le monde répond « présent » : pachas, mahārādjahs, banquiers, rois

Les fêtes de Deauville

Grâce à l'ouverture du casino d'hiver — la Malibran —, à la création de Port-Deauville dont les plaisanciers profitent à longueur d'année, et au remplacement de certaines villas par des immeubles — moins typiques, quoique d'un style très «local», mais plus faciles à chauffer —, la saison de Deauville, qui bat son plein à partir de la dernière semaine de juillet avec le concours hippique international, ne s'arrête plus brusquement à la fin du mois d'août, au lendemain du bal du Grand Prix, plongeant toute la station dans une mort apparente. C'est pourtant pendant cette période qu'il faut découvrir Deauville, quand les ventes de yearlings (jeunes pur-sang) — qui se déroulent dans le recueillement d'un office religieux et

▲ *Trouville :
sagement alignée devant le bâtiment
de la Poissonnerie,
la flottille des bateaux de pêche.*

suivant un rite mystérieux pour le néophyte — attirent dans le nouveau bâtiment construit à cet effet des acheteurs venus du monde entier — Japon compris! — et distillent aux alentours une excitation grisante; et quand le gala des Courses, durant lequel la cravache d'or est remise au jockey qui a totalisé le plus grand nombre de victoires dans l'année, fait l'objet de toutes les conversations. C'est le temps des régates du Yacht-Club, des coupes de golf et de polo, des tournois de bridge et de tennis, des championnats d'échecs et de tir au pigeon. C'est l'époque des expositions, des concerts, des soirées théâtrales, des défilés de mannequins, des grands dîners aux Ambassadeurs, de tout ce qui fait de Deauville un haut lieu du tourisme international. ■

du café ou du pétrole y côtoient Mistinguett, Maurice Chevalier, les Dolly Sisters... et Van Dongen, qui peint toutes les élégantes. C'est la ronde des mots, des modes, des bancos fabuleux, des pertes vertigineuses. François André succède à Cornuché et dote Deauville de nouveaux atouts, dans la même tradition de luxe. En 1928, ce sont les Bains pompéiens, en bordure de la plage, bientôt suivis des célèbres «planches», le caillebotis le plus élégant du monde, où il sera de bon ton, désormais, de venir regarder la mer, en guise d'apéritif, et de se montrer. En 1929, ce sont, à l'arrière-plan de Deauville, sur les pentes du mont Canisy, le golf et l'hôtel du Golf. Et, près de la forêt de Saint-Gatien, à quelques kilomètres de là, l'aéroport de Deauville-Saint-Gatien, qui facilite la visite des lords anglais.

Deauville avait trouvé son «image de marque», son rythme de vie — courses, sports «racés», jeux —, sa clientèle — l'élite d'argent. L'histoire pouvait lui assener des coups de boutoir — l'effondrement de Wall Street, la Seconde Guerre mondiale —, la fortune pouvait changer de mains, chaque fois Deauville fit une rentrée éblouissante dans le monde nouveau, plus sophistiquée que jamais : un deuxième hippodrome, une piscine d'eau de mer, chauffée et couverte, des thermes marins de grande classe, et enfin, tout récemment, les audacieuses «marinas» de Port-Deauville, à l'embouchure de la Touques. Décidée en 1970, cette alliance avec la mer est très controversée. Pourtant, elle est bien dans la tradition de Deauville : elle renoue avec l'époque des yachts somptueux de l'entre-deux-guerres, le *Cutty Stark* du duc de Westminster, un géant qui devait entrer dans le bassin du Yacht-Club en marche arrière, l'*Eilen*, sur lequel un diamantaire transportait sa Rolls, et tant d'autres...

Trouville depuis le second Empire

Pour certains, Deauville et son décor de théâtre ont quelque chose d'hermétique, d'insaisissable. Ils leur préfèrent, sur la rive droite de la Touques, l'atmosphère bon enfant de Trouville, ses drapeaux claquant au vent, son marché au poisson, ses brasseries, ses rues étroites qui escaladent la colline vers la Corniche où ont poussé des immeubles d'un style colonial inattendu mais gai, et d'où la vue s'étend, au-delà de Deauville, jusqu'aux falaises de Bénerville. L'eau miroitante sous le soleil, les voiliers blancs, les jetées de bois qui encadrent le chenal, les couleurs tendres feraient penser aux toiles d'Eugène Boudin, le peintre honfleurais, s'il n'y avait pas, au cœur de la baie, les marinas rouges et grises de Port-Deauville, qui raniment la rancœur de Trouville à l'égard de la «sœur ennemie».

Petit port de pêche «découvert», aux alentours de 1830, par des artistes, Trouville eut un tel succès qu'elle devint rapidement une

*Cabourg possède aussi
▼ sa promenade des Anglais.*

Une église en bois

L'église Sainte-Catherine d'Honfleur doit son originalité à l'impatience des Honfleurais, qui souhaitaient remercier honorablement le Seigneur du départ des Anglais après la guerre de Cent Ans. En cette fin du XVᵉ siècle, où les tailleurs de pierre, occupés à relever le pays de ses cendres, ne savaient plus où donner de la tête, il fallait utiliser les moyens du bord si l'on voulait faire vite. Ce furent les « maîtres de hache » du chantier naval que l'on chargea d'exécuter l'ouvrage, avec du bois de la forêt de Touques.

C'est ainsi que l'église fut constituée de deux nefs jumelles, dont les voûtes ont la forme de carènes renversées. Seul le soubassement des piliers de bois est en pierre. Les murs sont construits en colombage, comme les maisons du pays d'Auge.

Le clocher fut édifié à part, la charpente de l'église n'étant pas assez robuste pour porter des cloches, peut-être aussi par crainte de la foudre. Il se trouve plus haut sur la place, au-dessus de la maison du sonneur. Esseulé et étayé de châtaignier, il est, comme l'église, coiffé pointu d'ardoises. ■

La Côte Fleurie

De Deauville à Houlgate, les stations de la Côte Fleurie jouent à cache-cache avec la falaise. Alors que *Bénerville* a perché ses villas au sommet, à 30 m de hauteur, *Blonville* s'adosse au mont Canisy; toutes deux partagent la même plage de

▲ À l'écart de son église,
Sainte-Catherine d'Honfleur,
le clocher, bâti sur
la maison du sonneur.

sable fin, où les enfants s'ébattent en toute sécurité. *Villers-sur-Mer*, en revanche, peut s'étaler à l'aise le long de sa digue-promenade, à l'extrémité d'une plage rectiligne de 5 km. Puis la falaise se rapproche, creusée, ravinée, écroulée en éboulis tourmentés, couverts de varech, qui tranchent étrangement avec les courbes douces de la côte : ce sont les *Vaches-Noires,* paradis des chercheurs de fossiles, dominé par le paysage lunaire du « site du Chaos ».

Le plateau d'Auberville, qui chapeaute cet effondrement gris, plonge brusquement dans le vallon où se tapissent les toits d'ardoise d'*Houlgate*. C'est peut-être là, de la table d'orientation de la Corniche, que l'on découvre le plus beau panorama de la côte normande : Houlgate, verdoyante avec ses jardins, ses avenues ombragées et →

plage à la mode. Au début du second Empire, un de ses habitués, Gustave Flaubert, se plaignait déjà : « Paris a envahi ce pauvre pays, plein maintenant de chalets dans le goût de ceux d'Enghien. » Et ce n'était qu'un début. À l'aube du XXᵉ siècle, la construction du vaste casino blanc, très « haussmannien », qui se dresse à l'angle du port et de la plage, consacra la vogue de la station.

Et puis survint la brouille avec Letellier. Trouville perdit Cornuché, et son éclat mondain se ternit vite. L'hôtel des Roches noires, où Proust descendait avant de loger à la villa « les Frémonts », a été vendu par appartements. Le casino n'a pu lutter avec son fastueux voisin, mais les vieux thermes marins viennent de faire peau neuve pour essayer de ne pas se laisser distancer par ceux de Deauville...

Cabourg et Marcel Proust

En fait, c'est toute la Côte Fleurie — de Trouville à la Dives — que Deauville a éclipsée aux yeux du grand public. Pendant quelque temps, une station lui a pourtant tenu la dragée haute : Cabourg, à l'époque où sa classe et son élégance discrète lui avaient attaché l'écrivain Marcel Proust. Venu d'abord à la recherche de son enfance — des séjours avec sa mère, puis avec sa grand-mère — et d'un air salubre, Proust resta fidèle à Cabourg de 1907 à 1914. Mieux, il l'immortalisa dans *À l'ombre des jeunes filles en fleurs* : Balbec, c'est Cabourg (un peu mâtinée de Dieppe, de Trouville et d'Évian, mais qu'importe). Tout comme Balbec-le-Vieux, où arrivait « le beau train généreux d'une heure vingt-deux », c'est Dives-sur-Mer, l'ancien port peu à peu encerclé par les marais, de l'autre côté de la Dives. Et le « petit train » par lequel Albertine allait visiter Douville n'est autre que le train côtier qui a contribué au succès touristique de la Côte Fleurie en desservant toutes ses stations jusqu'à Trouville.

Cabourg n'a pas changé. Dans son nid de verdure, elle est telle que d'ambitieux promoteurs l'avaient tracée, en 1860, pour concurrencer Trouville et Deauville naissantes, à l'emplacement où, en 1058, Guillaume le Conquérant, qui n'était encore que duc de Normandie, avait rejeté à la mer les troupes du roi de France Henri Iᵉʳ. Ses larges avenues plantées d'arbres, « où la villa d'Elstir était peut-être la plus somptueusement laide », convergent en éventail vers la pelouse fleurie qui s'arrondit devant le petit casino 1880, accolé à l'imposante façade du Grand Hôtel, « ce décor pour le 3ᵉ acte d'une farce ». Au-dessus de toute cette blancheur où éclate le rouge des stores arrondis, tous les fervents de Proust cherchent avec émotion au quatrième étage, sous les toits, la petite fenêtre de la chambre que l'écrivain exigeait afin de posséder une cheminée et de n'être dérangé par aucun bruit au-dessus de sa tête, quitte à ce que son chauffeur fût mieux logé que lui.

son bois de Boulogne, ouverte en triangle sur sa plage, puis Dives, en retrait dans sa vallée marécageuse, puis la pointe de Cabourg et, derrière, la campagne de Caen jusqu'à l'horizon. Et, devant, toujours cette mer pastel... Quand on se résigne à descendre de ce piédestal, l'église de brique d'Houlgate, parachutée là comme par inadvertance, déçoit un peu, mais la plage, encore garnie de cabines de bois à toit pointu, longée jusqu'à Dives par un petit train poussif et piquetée çà et là de pêcheurs de crevettes, ravit par son côté désuet.

En face de Cabourg, sur la rive droite de la Dives, *Dives-sur-Mer* porte mal son nom, car la Manche s'est retirée à plus de 2 km depuis le Moyen Âge. Mais cet ancien port n'oublie pas son heure de gloire :

▲ *Un étang romantique reflète l'église romane de Cricquebœuf, à demi cachée sous le lierre.*

l'embarquement, le 12 septembre 1066, du duc Guillaume de Normandie, alors surnommé « le Bâtard », partant conquérir l'Angleterre avec 50 000 hommes d'armes. Les noms des barons qui l'accompagnaient sont gravés dans la pierre, à l'intérieur de l'église Notre-Dame, construite au XIVe siècle à l'emplacement de celle qui avait assisté au départ de celui qui allait devenir « le Conquérant », et dont les vastes proportions rappellent qu'elle fut lieu de pèlerinage jusqu'aux guerres de Religion. Un relais de poste du XVIe siècle est devenu la ravissante « hostellerie de Guillaume le Conquérant », qui vient d'être rouverte après un long sommeil. Tout est à regarder : les façades de bois, les épis de faïence de la cour intérieure, les sculptures des cheminées, les meubles normands,

Honfleur chérie des peintres

La seule de ses voisines à laquelle Deauville n'a pas réussi à porter ombrage, c'est Honfleur. Parce que Honfleur est d'une essence trop différente, parce qu'elle émane d'un passé beaucoup plus ancien, d'une époque où l'on allait droit à l'essentiel, où la forme découlait de la fonction.

Située à l'extrémité orientale de la Côte Fleurie, au pied du plateau boisé de la Côte de Grâce, magnifique belvédère sur l'estuaire de la Seine, Honfleur est une ancienne ville forte qui joua un rôle important durant la guerre de Cent Ans. Plus tard, ses marins sillonnèrent toutes les mers, et Champlain s'y embarqua pour explorer le Canada. Sous Louis XIV, Colbert en fit un port militaire et commercial d'importance nationale en rasant les remparts qui l'empêchaient de s'étendre et en la dotant d'un bassin à flot (auquel on ajouta, par la suite, un avant-port, trois bassins et un bassin de retenue) et d'entrepôts pour stocker le sel nécessaire à la conservation des morues de Terre-Neuve. Armateurs, corsaires et pêcheurs constituaient alors toute la société de la ville.

Mais les corsaires anglais menèrent la vie dure aux bateaux honfleurais, la France perdit successivement Terre-Neuve et le Canada, et le développement du Havre, sur l'autre rive de la Seine, acheva de minimiser le rôle d'Honfleur. À la fin du XVIIIe siècle, la petite cité, réduite au cabotage, s'était repliée sur elle-même.

Depuis, Honfleur a miraculeusement traversé les siècles sans meurtrissures. Ses hautes et étroites maisons de bois, dont les nombreux étages en surplomb sont enjuponnés d'ardoises à la façon des clochers des environs, s'épaulent toujours l'une l'autre, autour des eaux lisses du Vieux Bassin créé par Duquesne et au long des rues qui escaladent la colline. La Lieutenance, vestige d'un castel du XVIe siècle, se dresse toujours sur le port, avec ses tourelles d'angle, son toit de tuiles brunes et sa « porte de Caen » provenant des anciens remparts. En face, sur la place Hamelin, la maison natale de l'humoriste Alphonse Allais voisine avec celles de l'amiral Hamelin, du peintre Gustave Hamelin et du marin Pierre Berthelot, qui se fit moine aux Indes et mourut en martyr. Les hôtels cossus des armateurs bordent encore la rue Haute, et l'église Sainte-Catherine, tout de bois bâtie et d'ardoises couverte, trône toujours, avec son clocher séparé, sur la petite place biscornue qu'anime le marché.

Avec le temps, la blancheur des embarcations de plaisance s'est mêlée aux couleurs vives des chalutiers; antiquaires et galeries de peinture ont occupé les rez-de-chaussée des plus jolies maisons; fleurs et rideaux de dentelles ont égayé les fenêtres; le musée du Vieux-Honfleur a occupé la discrète petite église Saint-Étienne, devant le Vieux Bassin; une Vierge, restaurée par les soins de la

romancière Lucie Delarue-Mardrus, une enfant du pays, a pris place au-dessus de la porte de la Lieutenance; les greniers à sel accueillent, l'été, des expositions d'art contemporain...

Mais Honfleur a échappé au piège de la momification comme à celui de l'exploitation touristique. Les marchands de souvenirs n'ont pas trop envahi ses pavés, et il suffit d'assister au retour des pêcheurs, le soir, pour se convaincre qu'Honfleur n'est pas qu'un ensemble de résidences secondaires : le trafic de son port dépasse 500 000 t, grâce à l'importation de bois nordiques et africains.

Le cachet très spécial d'Honfleur pouvait séduire — et attacher — les artistes. Dès l'époque romantique, la cote de la ville remonta en flèche... mais auprès des peintres et des poètes. Son pittoresque inspira Baudelaire, qui y composa *l'Invitation au voyage*. La beauté des paysages et l'immensité du ciel changeant avaient déjà attiré sur la côte normande Corot, Turner, Bonington, Isabey. La transparence de l'atmosphère, les vibrations de l'air vaporeux, la décomposition de la lumière sur l'univers fluide de la baie de Seine fascinèrent les impressionnistes. Jongkind, Courbet, Monet, Whistler, Sisley et Boudin, le « tendre » Honfleurais, s'installèrent en colonie chez la mère Toutain, à la ferme Saint-Siméon, sur la Côte de Grâce, ce qui valut aux peintres d'Honfleur le nom d'« école Saint-Siméon » : le musée Eugène-Boudin, établi dans un ancien couvent de chanoinesses, leur est consacré.

La Côte de Nacre

À l'ouest de Cabourg, la physionomie de la côte change. La dune apparaît, plantée de pins au Hôme, rongée de maquis bourru à Merville-Franceville-Plage, embourbée dans le marais à Sallenelles. Les hautes maisons à colombage s'espacent. Ce sont les dernières : passé l'Orne, on ne voit plus que de la pierre.

Passé l'Orne aussi, la côte s'aplatit si bien au ras de l'eau que les pêcheurs, au large, se repèrent sur ses clochers (le plus haut, celui de *Bernières-sur-Mer*, que ses trois étages gothiques et sa flèche de pierre hissent à 67 m; le plus ancien, celui de *Ver-sur-Mer*, qui date du XIe siècle). C'est la Côte de Nacre, lisière rectiligne de la « campagne » de Caen. Son apparente neutralité est d'ailleurs trompeuse. La mer a recouvert un littoral boisé, qui se manifeste par des morceaux de tourbe sur le sable et par des îlots rocheux, écueils pour les marins d'antan, paradis pour les pêcheurs d'aujourd'hui. Un monde englouti, noyé d'algues, qui affleure sur la plage à marée basse et imprègne d'iode toute l'atmosphère.

Mais l'Orne est surtout une frontière historique, la limite orientale de l'opération démente et géniale que fut le débarquement des forces

les poteries, les étains. Enfin, un monument commémoratif de l'événement s'élève, depuis 1861, sur la butte Caumont.

Dives a d'autres attraits : la puissante charpente, sous le vaste toit de tuiles brunies, de sa halle (XVᵉ-XVIᵉ s.) et le haut pavillon (XVIᵉ s.) du manoir du Bois-Hibou, une ancienne gendarmerie installée dans les restes d'une abbaye. ■

Dans la campagne de Caen

L'attrait de la Côte de Nacre étant plus climatique qu'archéologique, l'amateur d'art risque d'être déçu s'il ne s'aventure pas à l'intérieur des terres : les environs de Caen recèlent quelques monuments intéressants.

Au sud de Ver-sur-Mer, le *château de Creully* présente un agréable panachage de tous les styles, du XIIᵉ au XVIᵉ siècle; son enceinte, son donjon carré et une belle tour polygonale lui donnent néanmoins un aspect très féodal en dépit de sa façade Renaissance. Tout près de là, les vestiges du *prieuré de Saint-Gabriel* composent encore un bel ensemble médiéval avec l'église romane, le beffroi du XIIIᵉ siècle, le réfectoire voûté et sa cheminée cylindrique, l'escalier à vis, etc.

Plus à l'est, le ravissant château Renaissance de *Fontaine-Henry* doit son caractère à l'immense toiture de son grand pavillon, plus haute que la façade. À l'intérieur, on visite les caves gothiques, les salons, la salle à manger, le grand escalier, etc.; dans le parc, la chapelle du XIIIᵉ siècle. Dans un vallon voisin, où chantent des eaux vives, se cache dans un bosquet l'*ancienne église de Thaon*,

▲ *La hauteur de son toit fait l'originalité du château Renaissance de Fontaine-Henry.*

Du toit au rez-de-chaussée, un long manteau d'ardoise protège les étroites maisons ▼ *du port d'Honfleur.*

alliées sur le continent en juin 1944. À partir de l'Orne, on en trouve la trace dans chaque commune, sur chaque plage. Le souvenir des combats y est cependant moins obsédant qu'au-delà d'Arromanches, dans la zone dévolue à l'armée américaine. Ici, dans le secteur nettoyé en quarante-huit heures, en dépit d'une résistance opiniâtre, par les Britanniques et les Canadiens, le passé n'empiète pas sur la vie quotidienne.

Certes, le pont de Bénouville, sur le canal de Caen à la mer, a conservé son surnom de « Pegasus Bridge », donné par les parachutistes britanniques (dont Pégase était l'emblème) qui le franchirent — derrière leur cornemuse, dit la légende locale — dans la nuit du 5 juin 1944 pour aller délivrer Ranville, le premier village libéré de France. À Riva-Bella, un mémorial est dédié au commando du capitaine Kieffer — seule présence française dans l'armada alliée —, qui prit pied dans l'estuaire de l'Orne sous le feu particulièrement meurtrier des batteries ennemies postées sur l'autre rive, à Merville. La commune de Colleville a accolé à son nom celui de Montgomery, parce que l'arbre généalogique du commandant en chef des troupes britanniques avait des racines dans ce village. À Saint-Aubin, le blockhaus du mur de l'Atlantique qui s'élève à l'extrémité de la digue est encore muni de sa pièce de tir, et un char « Sherman » monte la garde devant le port de Courseulles après avoir passé vingt-sept ans sous les eaux. Un peu partout, des stèles commémorent l'héroïsme anglais et canadien, et des tombes rappellent que le bilan fut lourd.

Mais les noms de code des plages s'estompent. On oublie que le rivage de Riva-Bella, Lion-sur-Mer, Langrune et Saint-Aubin s'appela Sword Beach, que Juno Beach désigna Bernières et Courseulles, que la grève entre Ver-sur-Mer et Arromanches porta le nom de Gold Beach. Aujourd'hui, les stations de la Côte de Nacre évoquent des images plus pacifiques.

À l'ouest de l'embouchure de l'Orne, les bancs de sable de *Riva-Bella,* la plage d'Ouistreham, que la mer découvre à marée basse jusqu'à l'infini (c'est-à-dire 3 ou 4 km!), sont le séjour d'élection de criardes colonies d'oiseaux migrateurs. En sus de cette station balnéaire en plein essor, *Ouistreham* possède trois atouts : un centre de voile réputé; l'activité incessante, coordonnée par une tour de contrôle, du sas qui relie le canal de Caen à la mer; et une église fortifiée du XIIᵉ siècle, dont le style est roman pour la façade et la nef, gothique primitif pour le chœur et le clocher, mais toujours typiquement normand.

Ensuite, jusqu'à l'embouchure de la Seulles, les algues et leurs effluves iodés sont rois : *Luc-sur-Mer* est aussi fière de ses bains de varech chauds que de ses fruits de mer; *Langrune,* comme le Groenland, doit son nom, qui signifie « vert pays », à l'étonnement des Vikings en découvrant son rivage tapissé d'algues; et la clientèle de la

▲ *Retour de pêche
à Port-en-Bessin,
havre étroit protégé
par deux jetées arrondies.*

un petit bijou roman, à voûte de charpente, dont la décoration est à la fois sobre et originale. ∎

Cherbourg

Sur la côte nord du Cotentin, battue par tous les vents, fouettée par toutes les tempêtes, Cherbourg est un port militaire, un arsenal, une escale pour les transatlantiques, une gare de car-ferries, un port de pêche et un port de plaisance. Mais Cherbourg, c'est avant tout une digue, cette digue immense qui dessine, avec la courbe de la baie, un ovale parfait, et qui, techniquement, est un véritable tour de force.

De par sa position à la pointe nord-ouest de la France, au cœur des eaux de la Manche, mais en retrait des courants les plus violents grâce à la double protection du cap de la Hague et de la pointe de Barfleur, Cherbourg pouvait avoir des ambitions. Malheureusement, sa situation locale l'empêchait de les réaliser : la baie, largement ouverte, était exposée à n'importe quel acte de piraterie. Le raid des Anglais, en 1758 (ils accostèrent discrètement à Querqueville, à 7 km de là, pillèrent, tuèrent, brûlèrent et se rembarquèrent avant que les Cherbourgeois ne fussent revenus de leur surprise), en fut la meilleure preuve.

En 1784, sur les plans du capitaine de vaïsseau de La Bretonnière, on mit en chantier les bases d'une digue qui devait barrer la baie en s'appuyant sur les pointes de Querqueville, à l'ouest, et de Bretteville, à l'est. Travail de titan :

*Vallonnés, coupés de haies,
parsemés de rares maisons,
les herbages éventés
▼ de la presqu'île de la Hague.*

marchande de guimauve de *Saint-Aubin* se recrute parmi les enfants venus respirer un air particulièrement tonifiant, sur la plage et la longue digue-promenade bordée d'une file ininterrompue de villas sans prétention, d'hôtels familiaux et, l'hiver, de volets clos.

Courseulles-sur-Mer, à l'embouchure de la Seulles, est toute différente. Son port, étroitement logé dans le lit de la rivière, abrite maintenant autant d'embarcations de plaisance que de bateaux de pêche. La danse des mâts et des coques blanches, plus effilées les unes que les autres, en fait un charmant spectacle, mais ce port est l'objet d'une vigilance minutieuse de la part des ostréiculteurs, à cause du danger de pollution qu'il représente pour eux.

C'est qu'une très vieille histoire d'amour unit les eaux de la Manche aux huîtres de Courseulles. Il fut un temps où ces huîtres étaient ratissées en pleine mer, à l'aide de dragues, mais elles étaient à la merci d'un gros temps, et l'on donna un coup de pouce à la nature en créant des parcs sur leur emplacement même. Il y en eut jusqu'à 400, et les huîtres de Courseulles étaient les plus fines du monde. Aujourd'hui, les ostréiculteurs se sont spécialisés dans l'affinage des portugaises de l'île de Ré et des huîtres plates de Bretagne, mais celles-ci maintiennent la réputation de Courseulles : on affirme ici que cela vient de la qualité de l'eau, qui serait la plus pure du littoral. Que Grandcamp-les-Bains et Saint-Vaast-la-Hougue — les deux autres centres ostréiculteurs de la côte normande — ne s'en offusquent pas : c'est de bonne guerre!

Courseulles est aussi la limite entre la côte aménagée et la côte sauvage : c'est le point extrême atteint par les promoteurs, qui sont en train de remodeler le front de mer avec d'impressionnants ensembles immobiliers. Aussitôt après, la plage redevient cet univers oublié où l'alouette salue le soleil levant; où seul le ciel se reflète sur le sable luisant, abandonné par la marée jusqu'à une ligne diffuse, si lointaine qu'elle en devient irréelle; où le vent donne tout son souffle; où la vie ne se manifeste que par une mouette au cri rauque, par un enfant qui ramasse des vers, par un pêcheur qui pose ses lignes...

Arromanches et le littoral du Bessin

Mais déjà les pontons d'Arromanches émergent de la brume bleutée. Derrière se devinent des falaises blanches. La campagne se hausse vers ce plateau, se creuse de vallées. À l'horizon sans surprise des champs de blé succède l'intimité herbeuse, ombreuse, du bocage. Voici qu'apparaissent d'énormes fermes fortifiées, d'une opulence jalousement préservée par de hauts murs minutieusement constitués d'une myriade de petites pierres rectangulaires : au premier abord, la perfection de l'arche d'un porche, le raffinement d'une tourelle ou

d'une lucarne les feraient prendre pour des manoirs. Nous sommes dans le Bessin.

Nichée dans un creux de falaise, Arromanches-les-Bains a un petit air de fête, avec ses drapeaux claquant au vent et ses vitrines regorgeant de cartes postales, de filets à crevettes, de bouées et de tous les accessoires de la vitalité touristique.

Mais il y a, au large, ces pontons et ces caissons gigantesques, vestiges de la rade artificielle de 12 km de long, construite en une

on immergeait d'énormes caissons de bois, bourrés de mortier, que la mer démolissait inlassablement. On s'obstina, car, peu à peu, se formait tout de même une sorte de talus, sur lequel on put enfin bâtir la digue. Quand elle fut terminée, trois quarts de siècle s'étaient écoulés!

Mais, parallèlement, on avait édifié, dès 1779, les forts de Querqueville, du Homet et de l'île Pelée, puis entrepris la construction des bassins proprement dits : le port militaire, décidé par Napoléon Iᵉʳ, fut inauguré par Napoléon III; le bassin du Commerce fonctionne depuis 1831.

Cherbourg a été conçue avec une telle envergure que, lorsque les Américains s'en furent emparés (par la terre, non par la mer) le 27 juin 1944 et eurent débarrassé le port des mines qui l'infestaient, elle assura le ravitaillement de toutes les armées alliées jusqu'en décembre 1944. Durant la bataille des Ardennes, son activité était supérieure à celle du port de New York avant la guerre! L'essence y arrivait par pipe-line sous-marin depuis l'île de Wight.

Aujourd'hui, les plus grands transatlantiques font escale dans sa gare maritime; des sous-marins nucléaires sont construits à l'Arsenal; près de 2 000 yachts et voiliers voisinent dans l'avant-port avec les chalutiers aux couleurs vives et aux noms naïfs. C'est de l'à-pic pelé du Roule, auquel Cherbourg s'adosse, qu'il faut aller contempler cette activité de ruche dans le magnifique panorama de la rade : au sommet, le fort qui veille sur la ville nous offre sa terrasse-belvédère et un intéressant musée de la Guerre et de la Libération. ■

▲ *Arromanches-les-Bains,
petite station balnéaire
dont les Alliés firent
le premier port du débarquement.*

semaine, qui permit le débarquement, en un peu plus de trois mois, de deux millions et demi d'hommes, d'un demi-million de véhicules et de quatre millions de tonnes de matériel. Et il y a, au cœur de la bourgade, entre une péniche et des canons, le musée du Débarquement, devant l'entrée duquel on fait la queue...

À partir d'Arromanches — et sur 35 km, jusqu'à ce que Grandcamp-les-Bains, à l'autre extrémité du Bessin, détende l'atmosphère avec ses filets séchant au soleil et ses coquilles Saint-Jacques pêchées à la drague —, quelque chose qui ressemble à du recueillement s'impose au visiteur : le paysage est encore imprégné d'un passé trop lourd, trop proche.

C'est le face-à-face des cimetières : d'un côté, la perspective impitoyable des 9 386 croix blanches américaines, sur la falaise de Saint-Laurent-sur-Mer; de l'autre, l'amère douceur du verger de la Cambe, où reposent 21 500 soldats allemands.

Ce sont les blockhaus et les monuments commémoratifs qui marquent de leur sceau, à intervalles réguliers, la longue grève solitaire, partagée entre les communes de Colleville-sur-Mer, de Saint-Laurent-sur-Mer et de Vierville-sur-Mer, mais unifiée, dans le plan Overlord, sous le nom d'Omaha Beach : le déluge de fer et de feu qui, du haut de la falaise, s'abattit sur les arrivants, sans protection sur ce terrain découvert, fut le plus meurtrier de toute l'opération.

C'est aussi le choc d'une rencontre avec une terre encore ravagée par la guerre, crevée d'entonnoirs géants entre les casemates en ruine, et que le temps a pansée de ronces et d'orties : la pointe du Hoc, que les Rangers s'acharnèrent à prendre d'assaut, sous un feu d'enfer, quarante-huit heures durant, au grappin et à l'échelle de corde...

Seule la pittoresque *Port-en-Bessin* mène une vie animée entre ses hautes falaises torturées par l'érosion. Oubliés, les ancêtres naufrageurs qui, par les nuits sans lune, allumaient des feux pour attirer sur le mur de craie les navires en perdition, fructueuses épaves en perspective! On ne pense plus qu'à la pêche : en haute mer (8 000 tonnes de poisson par an), à pied sur les rochers, et à la ligne, au bout d'une des deux jetées arrondies qui, face à face, encerclent l'avant-port.

Ici commence le Cotentin

Large de 6 km, profonde de 8, la baie des Veys sépare le Calvados de la Manche. Les Veys, autrefois, c'étaient les deux gués qui permettaient de passer, sans trop se mouiller les pieds, du bocage du Bessin à celui du Cotentin en traversant les immenses marécages de la plaine de Carentan. Une fois drainée, cette dépression se couvrit de pâturages assez gras pour rassasier le bétail le plus vorace, et les laitages de Carentan et d'Isigny connurent la célébrité.

Des polders tout neufs poursuivent la mise en valeur de la baie. La mer ne présente pas de résistance : les courants ne font pas le détour. Les amateurs de coquillages le regrettent bien : les coques sont si polluées qu'on ne peut plus les ramasser!

Le Cotentin ne rompt pas brutalement avec le Calvados. Les toiles de Millet seraient là pour le prouver, si l'on ne savait, depuis les chouans, combien ses haies d'aubépine sont précieuses aux résistants,

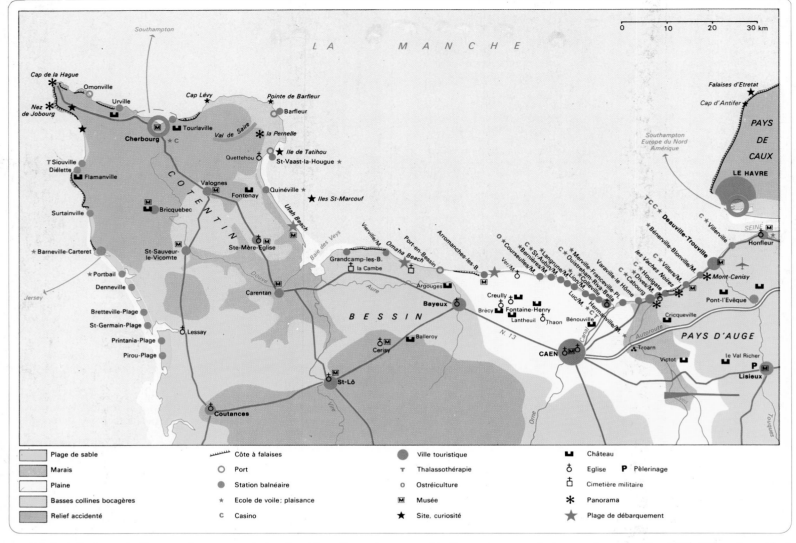

Plage de sable		Côte à falaises		Ville touristique		Château
Marais		Port		Thalassothérapie		Église P Pèlerinage
Plaine		Station balnéaire		Ostréiculture		Cimetière militaire
Basses collines bocagères		Ecole de voile: plaisance		Musée		Panorama
Relief accidenté		Casino		Site, curiosité		Plage de débarquement

ses rideaux d'arbres touffus propices aux embuscades. On sait aussi, depuis la dernière guerre, que, si les dunes de sa côte est favorisent les envahisseurs venus de la mer, ses poétiques chemins creux paralysent les chars.

Mais, au fur et à mesure que l'on remonte vers le nord, derrière le sable blanc de ces dunes encore abandonnées au vent, aux oiseaux et au chant des vagues, surgissent çà et là des tamaris, des hortensias, des mimosas. Des palmiers, même! Aux prés luisants succèdent les champs de choux-fleurs. Les maisons se tassent, se resserrent, utilisent le schiste, le granite. Ce granite qui, peu à peu, hérisse la plage de rochers sombres. Il y a une certaine douceur dans l'air : le Gulf Stream n'est pas loin. Cela sent la Bretagne : nous sommes à l'extrémité orientale du Cotentin, dans le Val de Saire.

Le *Val de Saire*, ce n'est pas seulement la charmante vallée de la Saire, mais toute la pointe nord-est de la péninsule. Deux petits ports animent son littoral : Saint-Vaast-la-Hougue, sur une presqu'île qui sépare les eaux libres de la baie de Morsalines d'une mer domestiquée par les parcs à huîtres de Réville, et Barfleur, qui fait le dos rond parmi les écueils.

Saint-Vaast-la-Hougue est un abri doublement sûr : contre la colère des éléments d'abord, grâce à la pointe de Saire qui la protège au nord, et aux jetées de granite gris qui enclosent sa rade depuis Vauban; contre les incursions ennemies ensuite, grâce à ses vigies de pierre : les fortifications de l'île de Tatihou d'un côté et, de l'autre, le majestueux donjon de la Hougue, fermement ancré sur les récifs face à la pleine mer, au bout de la grande digue. Saint-Vaast doit cet appareil guerrier à la dramatique défaite infligée en 1692 par la flotte anglaise aux navires de Tourville et passée à la postérité sous le nom de « bataille de la Hougue » : 12 navires français furent incendiés dans la rade.

Barfleur est, au contraire, environnée d'hostilité. Elle est postée à l'angle est du Cotentin, à l'endroit où la terre devient rocher, où les vents du large courbent les arbres d'une poigne dure, où les courants qui doublent la pointe s'affrontent en de violents tourbillons, et où coula, en 1120, la *Blanche-Nef* qui portait toute la famille du roi Henri Ier d'Angleterre.

Au-delà de la pointe de Barfleur, le rivage inhospitalier de la côte nord est désert entre le phare de Gatteville et celui du cap Lévy. Du sommet du phare de Gatteville (71 m, 365 marches, un des plus hauts de France), le regard balaie tout l'est du Cotentin, jusqu'à la baie des Veys et les falaises du Bessin, alors que de celui du cap Lévy (un des plus jeunes phares de France : 1952) on découvre la côte nord : la courbe douce de l'anse de Cherbourg et, au-delà, une côte qui s'aiguise, se durcit, se hausse, se brise en récifs dans une mousse d'écume jusqu'à l'éperon noir de la Hague, bec occidental de la tête du Cotentin. La fureur des flots et le sel des embruns ont rongé toute cette presqu'île. C'est le pays de la solitude, du *cap de la Hague* désolé, où le soleil couchant joue avec d'étranges reflets rougeâtres; de la lande sauvage, aride, que seuls égaient l'or des ajoncs et l'ondoyant tapis mauve des bruyères; des rocs déchiquetés du grandiose *Nez de Jobourg*, dont le promontoire dénudé domine la mer de 128 m.

Devant tant d'âpreté, l'homme s'est réfugié au creux de quelques vallons (même le pêcheur : un demi-kilomètre sépare Omonville-la-Rogue de son port). Sa présence se signale de loin en loin par une chaumière trapue, à peine sortie du sol, par des murets de pierre sèche protégeant on ne sait trop quoi de la violence des ouragans. Il n'y a plus, pour défier le ciel et la terre, que la petite église de *Jobourg*, tapie au milieu de son cimetière, et les 220 ha de bâtiments de l'usine atomique de la Hague...

20. Côtes Fleurie et de Nacre

rivage
du pays de Caux

◀ *La célèbre Aiguille
d'Étretat
que Maurice Leblanc
imagina creuse
pour les aventures
d'Arsène Lupin.*

▲ *Dans la vallée de Dun,
de belles étendues
d'herbe grasse
vouées à l'élevage.
(Environs de
Saint-Aubin-sur-Mer.)*

▲ *Un couloir
de verdure
qui entaille la falaise
et débouche sur
les horizons marins :
la valleuse du Curé.*

Étretat : ▶
*la falaise d'aval
dans laquelle
les flots
ont sculpté
la Manneporte.*

De l'embouchure de la Bresle à celle de la Seine,
le pays de Caux oppose aux lames violentes de la Manche
un long rempart de craie,
seulement entamé par les quelques échancrures des valleuses.
À ce littoral rude mais grandiose
répond un arrière-pays plein de douceur,
fait de prairies, de bosquets et d'eaux vives.

Les falaises d'Étretat : ▶▶
*au-delà de la Manneporte,
la Porte d'aval et l'Aiguille,
à la limite des basses eaux.*

*La voûte de ▲
la Manneporte,
une de ces
architectures
monumentales
dont la nature
a le secret.*

*Rongé
inlassablemen[t]
par la mer,
la haut[e]
falaise d'ava[l]
est troué[e]
de grottes*

*Arches, aiguilles, cavernes… les flots façonnent,
depuis des millénaires, les parties tendres de la roche
et font naître d'étranges sculptures
dont Étretat possède les plus belles.*

Au fil de
cet imposant front
de mer,
la vie
a trouvé refuge
dans les petits estuaires
des cours d'eau.
Les bourgs côtiers,
longtemps frappés
par les guerres
et tournés
vers l'aventure maritime,
sont devenus
les stations balnéaires
les plus proches
de Paris.

◀◀ *Au pied
d'abrupts murs
de craie,
la longue plage
du Tréport et,
à l'embouchure
de la Bresle,
le port et la station.*

◀ *Une paroi
en léger surplomb,
un feston laiteux
bordant
une grève grise :
le littoral
entre Mesnil-Val
et Le Tréport.*

*Au creux ▶
d'une valleuse,
la plage d'Étretat
est fermée par
la falaise d'aval,
prolongée par
la Porte d'aval
et l'Aiguille.*

▲ *Dieppe : le spectacle*
d'une Manche tumultueuse
à l'entrée du port,
près du phare impassible.

La falaise d'amont,
percée d'une porte,
limite, au nord,
▼ *la plage de galets d'Étretat.*

e la vallée de la Bresle à celle de la Seine, sur environ 130 km, le *pays de Caux* domine fermement la Manche par un rempart, haute falaise qui culmine à 126 m au cap Fagnet et que l'on a baptisée *Côte d'Albâtre*, à cause de l'éclatante blancheur de la craie, régulièrement interrompue par les lignes noires de minces couches de silex. En butte à l'inlassable travail de sape des flots, des pluies, des eaux d'infiltration et des gelées, ce littoral, lentement miné, recule peu à peu, surtout autour du cap de la Hève (jusqu'à 2 m par an). Des parois s'effondrent en chaos d'éboulis qui se couvrent de varech et doucement s'amenuisent, tandis que les silex, polis par la mer, deviennent galets. Là où la roche a le mieux résisté aux assauts des vagues, demeurent des aiguilles isolées, s'ouvrent des grottes ou se percent des arches, véritables monuments naturels qui seront tôt ou tard détruits par leur propre architecte.

À ce recul du rivage, la Côte d'Albâtre doit l'une de ses particularités, les *valleuses* qui entourent le haut de la muraille : ce sont des vallons tronqués, suspendus parfois à plusieurs dizaines de mètres au-dessus de l'océan. Celui-ci a rongé la roche plus vite que les rivières, absorbées alors par les fissures; seules les plus abondantes d'entre elles ont pu rejoindre le rivage. Au contact de la terre et de la mer, dans l'estuaire des cours d'eau, se sont établis des ports que protègent de solides jetées. Leurs marins furent, jadis, parmi les premiers découvreurs du monde. Leurs chalutiers pratiquent depuis des siècles la pêche à la morue, au maquereau, au hareng. Profitant aussi des cassures de la falaise et des accès ainsi offerts à la grève, des stations balnéaires ont vu le jour, que la proximité de Paris a valorisées.

Derrière ce bord de mer, qui semblerait peu engageant n'étaient les petites bourgades qui le jalonnent, s'ouvre une campagne faite de champs, de grasses prairies, d'arbres, de hameaux, et qu'arrosent de fraîches rivières à truites. C'est le vaste plateau du pays de Caux, aux horizons réguliers, coupés de riantes vallées.

« Mes portes sont toujours ouvertes »

Telle est la devise d'*Étretat* qui est la meilleure introduction à la découverte de la Côte d'Albâtre. En effet, c'est là qu'on trouve, selon le mot d'Onésime Reclus, «les plus beaux et les plus fiers monuments de l'architecture de la mer». La station s'est ouverte au tourisme au milieu du XIXᵉ siècle, tout de suite fréquentée par les artistes (A. Karr, Corot, Monet, Maupassant, Offenbach, Massenet...), séduits par ce cadre de hautes murailles, trouées d'arches grandioses.

Il faut flâner sur la digue-promenade qui longe la plage de galets et s'approcher des deux falaises qui l'encadrent. À l'est, la falaise d'amont avance dans l'océan sa pointe percée d'une porte. À l'ouest, la falaise d'aval lance sur les eaux une arche gothique que Guy de Maupassant comparait à «un éléphant plongeant sa trompe dans la mer». Face à cette dernière, se dresse, solitaire au milieu des flots, une aiguille de 70 m de haut. Plus à l'ouest, après la valleuse de Jambour, où s'abrite le Petit-Port, la Manneporte est la plus majestueuse de ces portes façonnées par la nature et on peut la franchir à marée basse. L'ensemble constitue un spectacle d'une grande beauté, auquel l'éclairage confère mille nuances. Il prend toute sa dimension lorsqu'on a la chance de l'admirer de la mer. À cet effet, des bateaux attendent le visiteur dans la petite anse du Perrey, chère aux peintres.

Promenade
en pays de Caux

Le pays de Caux est moins connu pour lui-même que pour sa façade sur l'océan. Pourtant que de charme dans ses vastes horizons arrosés par de nombreuses rivières (Bresle, Yères, Arques, Scie, Saâne, Durdent...) ! Chacun y trouve son bonheur. L'amateur de forêts d'abord. Au nord de Saint-Saëns, une hêtraie somptueuse et touffue de 6 500 ha, la *forêt d'Eawy,* s'étire sur la rive droite de la Varenne et se prolonge jusqu'à la Béthune, au nord, par la forêt du Croc et, à l'est, par les forêts des Nappes et du Hellet. Une voie rectiligne la traverse presque de part en part : c'est l'allée des Limousins, longue de 14 km, que croisent de nombreuses routes forestières plus ou moins accidentées. On utilisait autrefois les hêtres de cette forêt pour alimenter le feu des verreries de Saint-Saëns, Lihut et Bally. Quelques fûts célèbres : le hêtre des Alliés, les Sept Frères et le Poilu.

D'une superficie plus modeste (environ 1 000 ha), la *forêt d'Arques* s'étale sur un plateau, entre les vallées de l'Arques et de l'Eaulne, à une dizaine de kilomètres de Dieppe. C'est la hêtraie la plus proche de la mer. Connue au XIIIᵉ siècle sous le nom de « Haie d'Arques », elle est un lieu de promenade apprécié des Dieppois.

Pour qui préfère à la solitude de ces futaies les souvenirs du passé, les châteaux ne manquent pas. Celui de *Bailleul,* près de Fécamp, est une intéressante construction de la Renaissance avec des réminiscences médiévales. Celui du *Bec,* au sud

▲ *Entouré d'un parc,*
le château de Bailleul
reflète toute la fantaisie
et la grâce de la Renaissance.

Cela ne doit pas empêcher d'effectuer la traditionnelle promenade par le sentier de la falaise d'aval. Elle mène à la « Chambre des Demoiselles », grotte légendaire que décrivit Maupassant. Du sommet de la falaise et de la pointe, la vue est superbe sur Étretat et ses remparts vertigineux, et jusqu'au cap d'Antifer. Au-dessus de la falaise d'amont, s'élève la moderne chapelle Notre-Dame-de-la-Garde. Près de celle-ci, un monument commémore le souvenir de Nungesser et Coli : c'est de là qu'on aperçut pour la dernière fois les deux aviateurs partis aux commandes de l'*Oiseau-Blanc,* le 8 mai 1927, pour traverser l'Atlantique. Un musée évoque cette tragique tentative.

Étretat s'est agrandie. Les vieilles caloges de naguère, ces barques recouvertes de goudron et coiffées d'un petit toit en chaume dont les pêcheurs faisaient des magasins-remises, ont disparu. Il ne reste, pour les retrouver, que les tableaux de Courbet ou de Monet. Mais, comme vestige du passé, demeure l'église Notre-Dame, autrefois dépendante de l'abbaye de Fécamp. Un portail roman, une tour-lanterne normande, qui s'élève à la croisée du transept, et six travées romanes lui gardent son charme ancien.

Fécamp, capitale des terre-neuvas

Au nord d'Étretat, la route sinueuse relie les petites stations serrées dans les valleuses ou à l'embouchure des fleuves, le long de l'abrupte falaise. Le sourd grondement de la mer, la force de la lumière, les jeux du vent et des nuages ajoutent à la puissance des paysages. Face à Bénouville, la *valleuse du Curé* est l'un de ces sites typiques du pays de Caux. L'entaille dans la falaise est étroite et à pic. Un escalier, qui s'enfonce dans la craie en tunnel, permet d'atteindre, tout en bas, la mer qui fouette le rocher et l'aiguille de Belval, sculpture marine de 49 m de hauteur.

Protégée des vents d'ouest par la pointe du Chicart, *Yport* continue à haler ses bateaux sur les galets avec des cabestans; c'est une méthode rarement utilisée sur le littoral atlantique; mais, sur la Côte d'Albâtre, le rivage est avare en échancrures et il y a peu de mouillages. Ce port original retint quelques peintres comme Corot ou Laurens, et des écrivains comme Maupassant ou Coppée. Ses environs sont agréables. Un petit massif sylvestre, le bois des Hogues, est un but de promenade apprécié.

La route s'écarte ensuite de la mer, tandis que la muraille devient presque rectiligne, plus sévère encore. Et voici *Fécamp,* étirée sur 3 km dans le vallon où coule la rivière de Fécamp, réunion des ruisseaux de Valmont et de Ganzeville. Des collines couvertes de landes la dominent, de blanches falaises la défendent du côté de la mer. À l'entrée de la vallée a été aménagé le port. De la chapelle Notre-Dame-du-Salut, lieu de pèlerinage des marins perché sur une hauteur au nord, le site apparaît clairement.

« La maison était familiale, toute petite, peinte en jaune, à l'encoignure d'une rue derrière l'église Saint-Étienne; et, par les fenêtres, on apercevait le bassin plein de navires qu'on déchargeait, le grand marais salant appelé « Retenue » et derrière, la côte de la Vierge avec sa vieille chapelle toute grise. » C'est la Maison Tellier telle que la décrivit Maupassant qui séjourna longtemps à Fécamp et y situa plusieurs de ses contes. La ville a sans doute changé depuis lors. Mais deux odeurs se la disputent encore, qui illustrent les deux fleurons de son économie : celle de la morue et celle de la Bénédictine. Le plus

d'Étretat, rehausse un joli cadre de verdure et d'eaux. Quant à celui de *Filières*, au nord-est d'Harfleur, bâti dans un parc dessiné par Le Nôtre, il mêle harmonieusement les styles Renaissance et classique.

Les églises abondent aussi, toutes intéressantes : celle de *Blangy-sur-Bresle*, avec sa façade des XIIIe et XIVe siècles, celle d'*Envermeu* de style gothique, celle d'*Auffay*, avec sa nef du XIIIe siècle et son chœur du XVIe enrichi d'une belle ornementation flamboyante...

De vieilles pierres aussi à *Lillebonne*, qui eut une riche histoire. Important camp militaire romain, puis grand port (le golfe au bord duquel elle se trouvait a été asséché), elle n'a plus aujourd'hui que des vestiges : un théâtre du IIe siècle, les restes d'un château fort et un musée qui nous conte ce passé.

Enfin, *Yvetot*, l'une des villes-marchés du pays de Caux, aurait été la capitale d'un royaume que chanta Béranger. Un acte de 1381 ne qualifie-t-il pas Jehan V de « sire d'Yvetot par la grâce de Dieu »? Charles VIII appelait les seigneurs des lieux « rois d'Yvetot ». Ce titre leur resta jusqu'à la Révolution. Presque totalement reconstruite après la dernière guerre, la cité vaut pour son église Saint-Pierre, curieux édifice rond (1956) qu'éclairent des verrières de Max Ingrand. ■

Une incursion au pays de Bray

À l'est des terres cauchoises, le *pays de Bray* offre des paysages moins monotones que ces dernières. Sa boutonnière est

▲ *Dans la cour du manoir d'Ango s'élève un superbe colombier en mosaïque de briques rouges et noires.*

Fécamp : l'église de la Trinité dont la tour-lanterne rivalise de hauteur avec les tours
▼ *de Notre-Dame de Paris.*

important port morutier français arme des chalutiers vers Terre-Neuve, le Groenland et jusqu'au Labrador. Quant au précieux élixir, produit à partir de vingt-sept plantes aromatiques, dont quelques-unes poussent sur la falaise, il perpétue une tradition séculaire, née dans l'illustre abbaye autour de laquelle se bâtit la cité. Voisin de la distillerie, un musée rassemble des vestiges de l'ancienne abbaye ainsi que des collections d'émaux, d'ivoires, d'ouvrages de ferronnerie..., car Fécamp fut un des hauts lieux sacrés de Normandie, bien avant que le Mont-Saint-Michel n'attirât les pèlerins. Au VIIe siècle déjà, un sanctuaire y conservait la relique du Précieux Sang. Selon la légende, celle-ci serait arrivée jusque-là dans un tronc de figuier « confié à la mer et à la grâce de Dieu » par Isaac, neveu de Joseph d'Arimathie qui aurait recueilli lui-même les gouttes de sang du Christ à sa mort.

Une abbaye de femmes existait au VIIe siècle. Détruite par les Normands en 881, elle fut remplacée par un monastère d'hommes, dédié à la Sainte-Trinité. Une nouvelle abbaye fut créée en 1003 et confiée par le duc Richard Ier de Normandie au Piémontais Guillaume de Volpiano, qui avait introduit la réforme clunisienne dans plusieurs monastères. Ménestrels et jongleurs contribuèrent à étendre le prestige du Précieux Sang et de la Trinité. « Le monastère est digne d'être comparé à la Jérusalem céleste, écrit l'archevêque de Dol. On le nomme la Porte du Ciel, le Palais du Seigneur. L'or, l'argent et les ornements de soie y brillent de toute part. »

Ravagée par un incendie, l'ancienne abbatiale de la Trinité, fut reconstruite aux XIIe et XIIIe siècles, et remaniée du XVe au XVIIIe. Il s'en dégage malgré tout une certaine unité. Derrière la façade, de conception classique, l'impressionnant vaisseau gothique — c'est l'un des plus vastes de France avec ses 127 m de long — est surmonté d'une tour-lanterne carrée typiquement normande, qui s'élève à la croisée du transept à 65 m de hauteur. La nef, à dix travées, est relativement sobre. Elle possède quelques richesses parmi lesquelles : le groupe polychrome de la *Dormition de la Vierge* (XVe s.); le reliquaire abritant le « Pas de l'ange » (l'empreinte du pied d'un ange pèlerin apparu le jour de la consécration de l'église en 943); un autel Renaissance, en marbre blanc, exécuté par le sculpteur Girolamo Viscardo, à la demande de l'abbé Antoine Bohier qui commanda également les clôtures sculptées pour les chapelles. On remarquera aussi les vitraux de la chapelle de la Vierge (XVe s.), ses boiseries à médaillons provenant des stalles du chœur (XVIIIe s.), ainsi que les deux chapelles rayonnantes, seuls vestiges de l'église romane.

Avant de quitter Fécamp, il faut aller voir les vieilles maisons du quartier des Hallettes, les vestiges de l'ancienne enceinte, l'église Saint-Étienne, de style flamboyant, le musée et centre des Arts où est évoquée, à travers meubles, costumes, bateaux de pêche et divers documents, la vie d'autrefois en pays de Caux...

▲ *Baignée d'une douce lumière,*
une sage campagne
en pays de Bray.

le résultat d'un accident géologique. Le plissement, à l'époque tertiaire, de la table calcaire, puis l'érosion qui mit au jour les terrains sous-jacents, et ensuite l'affouillement des marnes ainsi découvertes créèrent une dépression modérée, bordée de collines crayeuses et arrosée d'eaux vives (Epte, Andelle, Bresle, Béthune, Thérain) : un nid de verdure qui se distingue du plateau alentour.

Essentiellement tourné vers l'élevage et l'industrie laitière (environ 180 millions de litres de lait et 1 million de litres de crème par an), le pays de Bray est considéré comme la « crémerie » de la région parisienne. Ses créations fromagères sont renommées; fromages faits de lait de vache entier, additionné de crème fraîche ou écrémé : double-crème, demi-sel, petit-suisse, bonde,

bondon, bondard, briquette, cœur carré, neufchâtel ou malakoff. Cette activité se concentre autour de trois grosses bourgades : Gournay-en-Bray et sa « banlieue » Ferrières-en-Bray, Neufchâtel-en-Bray et Forges-les-Eaux, où se tient un important marché de bétail.

Gournay est un centre très animé. On peut y voir l'église Saint-Hildevert, en partie du XIe siècle; les portails gothiques, les chapiteaux romans sculptés de motifs stylisés ne manquent pas d'intérêt. Mais surtout, à 8 km de là, on visitera l'église de *Saint-Germer-de-Fly,* le plus beau sanctuaire de la région. De style gothique primitif, cette ancienne abbatiale est remarquable pour son imposant vaisseau et pour son chœur avec tribunes en plein cintre et triforium aux baies rectangulaires. Reliée à l'église, la →

Au fil des falaises

Encore des falaises géantes et un chapelet de stations : Senneville, Saint-Pierre-en-Port, où curieusement il n'y a point de port — seulement des bancs rocheux, des galets et une valleuse ombragée —, Les Grandes-Dalles et Les Petites-Dalles aux villas disséminées dans la verdure, Saint-Martin-aux-Buneaux. Veulettes-sur-Mer a bien des attraits : nichée dans le vallon verdoyant de la Durdent, elle offre une vaste plage autrefois réputée pour la finesse de son sable. Celui-ci cède petit à petit la place aux galets, car rien n'est immuable sur ce rivage, et ici moins qu'ailleurs : depuis le début du siècle, la mer a avancé de quelque 180 m.

Cet affrontement entre la falaise et l'océan dessine aussi le cadre de *Saint-Valery-en-Caux,* que la dernière guerre malmena. Enserré dans une étroite vallée sèche, le port fut spécialisé, jusqu'au XIXe siècle, dans les pêches lointaines à la morue ou au hareng, sur les côtes de l'Islande et de Terre-Neuve. Il n'envoie plus maintenant ses marins qu'à de courtes distances. Mais il se livre aussi à l'exportation de bois et de galets noirs — ces galets qui attaquent sans cesse la craie —, et s'offre à la flottille des plaisanciers. Comme dans presque toutes les stations de la Côte d'Albâtre, il faut gagner le sommet de la falaise pour contempler le rivage. De la falaise d'amont, où un monument rappelle les rudes combats de la dernière guerre, on domine Saint-Valery et ses alignements de toits d'ardoises, le port, la plage; la vue porte vers le phare d'Ailly et Le Tréport.

Avant d'atteindre Le Tréport, il est d'autres haltes intéressantes. *Veules-les-Roses,* blottie dans le vallon de la Veule, l'une des plus petites rivières de France, qui prend sa source dans une cressonnière, est une station balnéaire familiale où séjourna Victor Hugo. L'église Saint-Martin vaut pour sa tour-lanterne du XIIIe siècle, ses charpentes de bois et ses colonnes torses en grès aux sculptures diverses (XVIe s.). *Sainte-Marguerite-sur-Mer* est située dans une vallée ouverte autour des marais de la Saâne : parcs à huîtres et viviers occupent la partie basse ; la charmante église conserve, dans sa nef, quatre belles arcades du XIIe siècle et un maître-autel roman exceptionnel. Un saut de puce mène, sur une pointe couverte de taillis, au *phare d'Ailly,* lanterne moderne reconstruite après la guerre qui propose la vue sinon la plus spectaculaire, du moins la plus panoramique sur les falaises du pays de Caux (sur plus de 60 km). *Varengeville-sur-Mer* est proche, dans un site typiquement normand. Au milieu d'un écrin de verdure, au bord des chemins creux, se disséminent plusieurs hameaux et des fermes opulentes. L'une d'elles fut la résidence campagnarde du célèbre armateur de la Renaissance, Jehan Ango. Ce manoir du XVIe siècle « donne parfois l'illusion d'un palais florentin » (La Roncière). Les jeux de briques du magnifique colombier qui s'élève

Perchés au faîte de la falaise,
la modeste église de Varengeville
et son cimetière marin,
▼ *où reposent d'illustres artistes.*

au centre de la cour intérieure et le corps de logis principal, la riche ornementation extérieure en font une demeure pleine de grâce et de délicatesse. Mais Varengeville, c'est aussi la mer, dont l'immensité vient prolonger celle des prés. Autour de l'église (XIe-XVIe s.), qu'éclairent des vitraux d'Ubac et de Braque, un vieux et émouvant cimetière domine les horizons marins. Là reposent, au bord de la falaise, Georges Braque, Albert Roussel et Georges de Porto-Riche. *Pourville-sur-Mer,* sise dans un frais vallon à l'embouchure de la Scie, est entrée dans l'histoire avec le débarquement de régiments canadien et écossais en 1942.

« Elle a bon mast et ancre et quille »

Là où l'Arques vient mêler ses eaux à la mer, dans une brèche de la falaise, s'est implantée *Dieppe :* un port, une ville, une station, qu'il faut découvrir de la chapelle Notre-Dame-du-Bon-Secours ou du mât de signaux du Pollet, situés aux abords de la cité, sur la falaise est.

« Dieppe a son vieux château soutenu par la dune
Ses baigneuses cherchant la vague au clair de lune
Et ses deux monts, en vain, par la mer insultés »,

ainsi la décrivait Vigny dans son poème *La frégate « la Sérieuse ».* Ce château, que l'on voit sur la falaise ouest, dominant la plage de galets

Sainte-Chapelle a été bâtie sur le modèle de celle de Paris.

Neufchâtel-en-Bray, ancienne capitale du pays, mérite une halte pour son église Notre-Dame, mutilée par la dernière guerre. Elle possède une nef du début du XVIᵉ siècle, un beau chœur du XIIIᵉ, et son clocher-porche est resté inachevé. Il faut voir aussi l'attrayant musée J.-B.-Mathon et A.-Durand, installé dans une vieille demeure du XVIᵉ siècle. L'art populaire du pays de Bray y est évoqué à travers meubles, ouvrages de ferronnerie, faïences de Forges-les-Eaux, poteries de Martincamp, pièces de verrerie. On y a reconstitué un atelier de sabotier.

À 5 km de Neufchâtel, se trouve l'un des plus beaux édifices civils de Normandie, le château de *Mesnières-en-Bray*. Aujourd'hui occupée par

▲ *Tours d'inspiration médiévale et escalier du XVIIIᵉ siècle, le château de Mesnières-en-Bray.*

un collège religieux, cette majestueuse demeure fut bâtie à partir de 1480 par Louis de Boissay. Un temps, elle appartint à Louis XV. De style Renaissance, l'édifice est flanqué de deux tours massives à mâchicoulis (simple décoration). Le logis principal ouvre sur la cour d'honneur une élégante galerie à arcades, finement décorée de cerfs en gypseries, portant des bois naturels.

Enfin, au cœur du pays de Bray, *Forges-les-Eaux* est célèbre pour ses eaux ferrugineuses bicarbonatées, providence des anémiques et des convalescents. Cette vocation thermale remonte loin : sur le conseil de son médecin Bonnard, Louis XIII y vint en cure, accompagné d'Anne d'Autriche, de Richelieu, de deux cents mousquetaires et de cent arquebusiers. De cet illustre

Animé par une flottille colorée, le port de pêche de Dieppe, où débarque un important tonnage
▼ *de poissons (espèces fines, surtout).*

et le boulevard qui la borde, est une imposante construction du Moyen Âge défendant jadis la ville. Élevé sur l'emplacement d'ouvrages fortifiés antérieurs que fit araser Philippe Auguste, il se présente comme un quadrilatère, flanqué de tours rondes et cerné de profonds fossés. La fraîche verdure de la pelouse et les chaudes couleurs de la couverture de tuiles et d'ardoises mettent en valeur le beau grisé de l'édifice, parfois rehaussé de parements de brique rouge. Cette forteresse servit de prison sous la Révolution, puis de caserne ; à ce titre, elle abrita le sous-lieutenant François René de Chateaubriand. Aujourd'hui, c'est un musée qui évoque l'importance à la fois économique et artistique de Dieppe, dont l'essor et la prospérité sont dus à la mer : marines, modèles de navires des XVIIIᵉ et XIXᵉ siècles, cartes et instruments de navigation des XVIᵉ et XVIIᵉ... Une des manifestations de ce destin maritime : le travail de l'ivoire d'éléphants d'Asie et d'Afrique, dont on fit grand commerce. Cet artisanat a pratiquement disparu, mais on comptait, au XVIIᵉ siècle, 350 ivoiriers établis à Dieppe. Un atelier d'ivoirier a été reconstitué, qui rassemble les outils des artistes permettant d'imaginer leur étonnant travail, et des vitrines témoignent de la variété de leurs créations. Le musée réunit également des objets d'archéologie régionale, péruvienne et précolombienne. Une salle rassemble divers meubles, objets et manuscrits ayant appartenu à Camille Saint-Saëns. Et les salles de peintures des XIXᵉ et XXᵉ siècles rappellent que de nombreux peintres trouvèrent ici leur inspiration : Pissaro, Isabey, Boudin, Lebourg, Blanche, Sickert, Dufy, Courbet, Sisley, Van Dongen...

Le chœur de la toute proche église gothique Saint-Rémy est agrémenté d'un joli déambulatoire Renaissance. La place du Puits-Salé, ornée d'un puits fleuri couronné de la « nef dieppoise », est le cœur de la ville. La Grande-Rue piétonnière, la voie la plus animée et la plus commerçante, rejoint la gare maritime. Un pont-levis sépare le port des voyageurs (le quatrième de France, en relation avec Newhaven, en Angleterre) du port de pêche dont la flottille se consacre en grande partie aux espèces fines (bars, soles, turbots, etc.) et à la coquille Saint-Jacques. Dans le centre, la belle église Saint-Jacques, en partie de style gothique primitif et remaniée par les siècles, possède une nef du XIIIᵉ, un portail central et un triforium du XIVᵉ, une tour de façade et une chapelle du Saint-Sépulcre du XVᵉ, un chevet et des chapelles rayonnantes du XVIᵉ : ce manque d'homogénéité ne nuit pourtant en rien à l'harmonie de l'ensemble.

Plage la plus proche de Paris, Dieppe est aussi l'une des plus anciennes de France. On date des IIIᵉ et IVᵉ siècles les premiers établissements de bains. Henri III y vint en 1578 « pour guérir certaines gales dont il était travaillé ». Mais c'est seulement au XIXᵉ siècle que la mode des bains de mer fit son apparition. La reine Hortense choisit

Dieppe pour lieu de séjour estival. Puis, les fréquents séjours de la duchesse de Berry confirmèrent la vocation touristique de la station, où se succédèrent désormais bien des célébrités. À l'heure actuelle, hôtels, casino, golf, tennis et un élégant front de mer, agrémenté de 8 ha de pelouses, composent l'attrait de Dieppe vers laquelle affluent les Parisiens, désireux de respirer, le temps d'un week-end, l'air vivifiant de la mer, et, l'été, toute une clientèle, qui aime les plaisirs de l'eau.

passage, qui lança la station, les sources gardent le souvenir : elles s'appellent Royale, Reinette, Cardinale. Aujourd'hui, la petite cité, préservée de l'expansion industrielle, a conservé une tranquillité appréciable. Le parc thermal, vaste de 10 ha, est arrosé par l'Andelle qui s'y étale en lac.

Au carrefour de trois vallées naissantes : celles de l'Andelle, de l'Epte et de la Béthune, sise dans un cadre verdoyant, Forges-les-Eaux est le point de départ de promenades dans les forêts de l'Épinay, de Bray et de l'abbaye de Beaubec. ∎

Eu et sa forêt

Proche de la mer et du Tréport, *Eu* fut longtemps « terre de princes ». Son château, entrepris à la Renaissance par Henri de Guise et achevé en 1665, fut habité par la « Grande Mademoiselle », puis fut la résidence favorite de Louis-Philippe, qui y accueillit la reine Victoria. Les collections qu'il abrite évoquent ce riche passé.

L'église, placée sous le vocable de la Vierge et de saint Laurent O'Toole, est un sanctuaire gothique, restauré par Viollet-le-Duc; elle est admirable de proportions. On peut y voir une Mise au tombeau du XVᵉ siècle, la statue de Notre-Dame d'Eu et la crypte qui recèle les mausolées des comtes d'Eu et le gisant de saint Laurent.

Aux portes de la ville, la *forêt d'Eu*, ancienne propriété des ducs d'Orléans, est formée de trois massifs, entre la Bresle et l'Hyères : le Triage d'Eu, la Haute-Forêt d'Eu et la Basse-Forêt d'Eu. L'ensemble, interrompu par quelques clairières de cultures, couvre environ 9 345 ha. Hantée par des sangliers, des chevreuils, des renards et des lièvres, cette forêt est le domaine d'élection des hêtres. S'y mêlent aussi des chênes et des sapins.

La Haute-Forêt d'Eu est le massif le plus important. On peut y voir un phénomène végétal, la « Bonne Entente »; il s'agit de la réunion, à leur base, de deux fûts (un de hêtre, un de chêne) qui ont poussé si près l'un de l'autre qu'ils font aujourd'hui souche commune. ∎

Sur les traces de Maupassant

Près de Tourville-sur-Arques, à une huitaine de kilomètres de Dieppe, le château de *Miromesnil* se dissimule au milieu d'une magnifique hêtraie. Il doit sa renommée à Guy de Maupassant qui y serait né le 5 août 1850, « dans la chambre de la tourelle de gauche regardant l'ouest », nous dit l'acte de naissance. Certes, la mère de l'écrivain était alors locataire de cette demeure. Mais d'aucuns contestent l'événement qu'ils préfèrent situer à Fécamp, chez la grand-mère maternelle, Mᵐᵉ Paule Le Poittevin. Toujours est-il qu'un hommage est rendu, dans ce château, à Maupassant, qui n'y passa que ses premières années.

Le château primitif du XIIᵉ siècle fut dévasté par les ligueurs au XVIᵉ, et ensuite rasé. C'est l'édifice bâti au XVIIᵉ siècle que l'on peut admirer aujourd'hui. La façade sur cour, en brique et en pierre moulurée, est rehaussée de pilastres et d'une frise

→

De Dieppe au Tréport

Au-delà de Dieppe où les falaises nous parlent de lutte, d'évasion, de découverte du monde, le littoral normand étire encore jusqu'au Tréport, en une ligne presque ininterrompue, sa haute muraille, assaillie par les vents, érodée par les vagues. D'étroites valleuses débouchent sur les plages où galets et roches gagnent lentement sur le sable. Le paysage demeure austère, mais d'aimables petites stations s'offrent aux vacanciers : Puys, dont Alexandre Dumas fils aimait le vert vallon, Berneval-le-Grand, Saint-Martin-Plage, et le village de Bracquemont qui garde le souvenir de grands hommes de la mer, dont Robert de Bracquemont, amiral de France et de Castille, et son neveu Jean de Béthencourt, le « roi des Canaries ».

Le rempart réputé infranchissable de la Côte d'Albâtre a suscité quelques « exploits » : c'est ainsi qu'à Biville-sur-Mer, le 21 août 1803, une dizaine de royalistes, dont Cadoudal et Pichegru, rentrant secrètement en France, durent se hisser, au moyen d'un filin, au sommet de la falaise. Après s'être cachés dans une ferme, ils rejoignirent la capitale dans le dessein de capturer le Premier consul.

Au-delà de Biville, *Criel-Plage* s'est établie à l'embouchure d'une verte dépression où coule l'Yères, venue du bois de Tot. À deux kilomètres et demi en amont, *Criel-sur-Mer* se niche dans un site paisible, goûté des pêcheurs. On peut y admirer une imposante résidence seigneuriale, le château de Briançon, devenu hôpital au XVIIᵉ siècle par la volonté de Mˡˡᵉ de Montpensier, et qui abrite aujourd'hui les services municipaux.

Puis, elle aussi dans un vallon, la petite station familiale de *Mesnil-Val* annonce *Le Tréport*, toute proche, lovée dans un ample dégagement de la falaise, creusé par la vallée de la Bresle. « La belle église [...] se dressait vis-à-vis de moi, sur sa colline, avec toutes les maisons de son village répandues sous elle, au hasard comme un tas de pierres écroulées. Au-delà de l'église se développait l'énorme muraille de falaises rouillées, toute ruinée vers le sommet et laissant croûler, par ses brèches, de larges pans de verdure. La mer, indigo sous le ciel bleu, poussait dans le golfe ses immenses demi-cercles ourlés d'écume; chaque lame se dépliait à son tour et s'étendait à plat sur la grève comme une étoffe sous la main d'un marchand. Deux ou trois chasse-marées sortaient gaiement du port [...]. Au-dessous de moi, au bas de la falaise, une volée de cormorans pêchait. Il m'a paru qu'ils déjeunaient fort bien... » Depuis Victor Hugo, Le Tréport a pris un nouveau visage. La station, dont Louis-Philippe avait lancé la mode en 1843 et qui devint ensuite la plage des Parisiens, subit l'occupation allemande. La plage a été aménagée et dotée d'une longue digue-promenade. À l'extrémité ouest de la plage, après le port, la falaise atteint une hauteur impressionnante. Du calvaire des Terrasses, le regard embrasse un panorama unique : les dernières falaises cauchoises, qui abritent *Mers-les-Bains*, sur la rive droite de la Bresle, et s'estompent dans une ligne de sable rectiligne jusqu'à la pointe du Hourdel et l'estuaire de la Somme, et, vers l'intérieur, la basse vallée de la Bresle et la tache verte de la forêt d'Eu. En contrebas : les toits d'ardoise de la ville basse, alignée sur la bande de terre qui sépare la mer des falaises, et, à mi-côte, l'église Saint-Jacques, du XVIᵉ siècle, aux voûtes pendantes.

de guirlandes de fruits. Deux pavillons l'encadrent depuis 1860. Côté parc, subsiste la partie la plus ancienne du château (fin du XVIᵉ s.), la plus élégante aussi dans sa sobriété; elle est flanquée de deux tours rondes et les hauts toits d'ardoise sont percés d'élégantes lucarnes à frontons.

Dans une trouée de la futaie, s'élève une chapelle du XVIᵉ siècle, dédiée à saint Antoine et dans laquelle Maupassant fut ondoyé. On y remarquera des vitraux et des statues polychromes de la fin du XVIᵉ siècle ainsi que des boiseries sculptées et une grille de fer forgé aux armes de Armand-Thomas Hue de Miromesnil, garde des Sceaux de Louis XVI (1774-1787) auquel le château appartint — le marquis y mourut en 1796 et des souvenirs évoquent encore son passage. ■

Le pont de Tancarville

Longtemps la Seine constitua une véritable barrière : de Rouen au Havre, sur quelque 127 km, aucun pont ne l'enjambait et seuls des bacs permettaient de la franchir. C'est en 1870 que l'on étudia les possibilités de liaison d'une rive à l'autre, qui n'entraverait pas la navigation. Au cours de l'entre-deux-guerres, la chambre de commerce du Havre émit l'idée d'un pont routier suspendu, mais ce n'est qu'en 1955 qu'elle put entamer la réalisation de ce projet. Jusqu'en 1959 (le pont fut ouvert à la circulation le 2 juillet), mille ouvriers travaillèrent à cet ouvrage, qui coûta 9 milliards et demi de francs de l'époque.

Lancé entre la falaise de Tancarville et la plaine du Marais Vernier, à 48 m au-dessus des eaux,

▲ *Au-dessus des eaux de la Seine, le pont de Tancarville, l'un des plus importants ouvrages « suspendus » d'Europe.*

Au milieu d'arbres vénérables, la façade en brique et pierre blanche
▼ *du château de Miromesnil.*

Village traditionnel de pêcheurs, Le Tréport conserve, malgré une activité touristique florissante, une animation locale importante hors saison, grâce à son port.

Le Havre, porte océane

Mais retrouvons maintenant, au sud d'Étretat, les spectaculaires murailles de la Côte d'Albâtre. On peut se rendre à pied au cap d'Antifer par le sentier qui, au fil des vallonnements du terrain, court au bord de la falaise et passe par le village de La Poterie. On y va plus rapidement par la route... Au-delà de l'éperon de la Manneporte, et jusqu'à la pointe de la Courtine, haute de 90 m, les falaises dominent une large baie. Puis voici, impressionnante, la plage d'*Antifer,* fermée par le cap du même nom. Balayé par les vents puissants du large, ce promontoire élève à 110 m au-dessus de la mer sa masse blanche, tapissée de terre rougeâtre, sur laquelle se dresse un phare. Il veille sur l'immense terminal pétrolier du Havre taillé dans la falaise.

Du cap d'Antifer à Sainte-Adresse, la muraille de Caux dessine un rivage vigoureux, bordé de plages de fins galets. La blancheur de la roche, le noir des galets de silex, le gris laiteux de la mer qui, à marée haute, fouette le pied de la falaise composent un tableau puissant, plein de poésie.

Légèrement à l'écart de la côte, la route court sur le plateau, offrant de-ci de-là de belles échappées sur les horizons marins. Les petites stations se sont établies en retrait du rivage : au creux d'une valleuse parée de bruyères, Bruneval; Saint-Jouin, qu'aimèrent les artistes; Sainte-Adresse, située dans le vallon d'Ignauval. À proximité, le phare de la Hève offre un panorama exceptionnel sur le port du Havre, sur l'estuaire de la Seine, et au-delà, sur la Côte Fleurie.

« J'aime le Havre, le vieux Havre surtout, le Havre des anciennes maisons, laides, il est vrai, de l'entresol au faîte, mais, au rez-de-chaussée, si pittoresques, si vivantes, grâce à leurs magasins, vrais bazars exotiques, où, parmi les coquillages nacrés, les madrépores arborescents et les petits navires qui ressemblent à des ex-voto, gambadent des singes grimaçants, s'égosillent des perroquets flamboyants, gazouillent des oiseaux frissonnants, le tout entremêlé de galets peints, de poupées en costumes de bain et de sébilles indiennes, où de petits limaçons jaunes se mêlent à des baies rouges, à pointe noire, qui ressemblent à des bêtes à bon Dieu. » L'envoyé du *Journal des Voyages,* Edmond Neukomm, qui écrivit ces lignes en 1899, serait bien surpris s'il revenait au Havre aujourd'hui.

Le vieux Havre a fermé ses bazars; le pittoresque a disparu dans une ville entièrement reconstruire, car Le Havre fut, au cours de la Seconde Guerre mondiale, « le port le plus gravement endommagé

ce pont-route se compose d'une travée centrale de 608 m, encadrée de deux travées latérales de 176 m chacune. Rive gauche, un viaduc de 440 m de long ouvre l'accès. Deux pylônes en béton armé, hauts de 125 m — un record mondial — supportent le tablier et les câbles porteurs. On a peine à imaginer que pour parvenir à ce résultat il a fallu 60 000 m³ de béton, 12 000 t d'acier, 3 210 t de câbles porteurs, ... et, en tout, 3 500 000 heures de travail!

Les relations commerciales entre la Haute-Normandie et la Basse-Normandie, entre Le Havre et l'ouest de la France ont largement gagné avec la création de ce pont, rattaché au réseau routier existant. Quant au touriste, il ne manque pas d'y venir admirer, en plus du bel ouvrage, un intéressant point de vue sur l'estuaire de la Seine. ■

▲ *Vues de Sainte-Adresse, les modernes installations portuaires du Havre, «porte océane».*

Une campagne plate qui meurt dans la mer par une muraille escarpée : la côte entre le cap d'Antifer
▼ *et Bruneval.*

Le port autonome du Havre

De tout temps la vie du Havre a été dépendante de l'océan. Sa fonction portuaire est encore aujourd'hui sa raison d'être. Et, malgré les déprédations considérables de la dernière guerre, le port autonome du Havre est le deuxième port de France et le troisième d'Europe. Le trafic des marchandises a atteint, en 1975, près de 74 Mt. Le nombre des passagers approche 800 000. Il s'agit surtout des liaisons par navires transbordeurs avec les îles Britanniques : Le Havre-Southampton et Le Havre-Rosslare (Eire) : les liaisons transatlantiques qui firent la réputation du port ne comptent plus guère.

Accessible aux navires de 220 000

→

d'Europe». Alors que Paris était libéré, Le Havre subissait toujours l'occupation, qui se termina tragiquement : 146 bombardements, 4 000 tués, près de 10 000 immeubles détruits et autant d'endommagés, et les installations portuaires totalement dynamitées.

Deux années furent nécessaires pour déblayer la ville, avant qu'on puisse entreprendre la reconstruction, confiée à l'architecte Auguste Perret, le «magicien du béton armé». Une ville nouvelle surgit des décombres avec de larges et de spacieuses artères qui quadrillent l'agglomération, des blocs d'habitation plantés au milieu de vastes espaces, des bâtiments industriels à l'écart des lieux d'habitation. Le Havre s'est aussi ménagé des «Champs-Élysées» : l'avenue Foch, qui commence place de l'Hôtel-de-Ville, et se termine par la porte Océane, ouverte sur le front de mer.

Mais si Le Havre reconstruit a gagné en clarté et en lumière, il a perdu certainement en chaleur et en couleur. Ville fonctionnelle répondant à notre époque, Le Havre n'offre pas l'attrait des villes du

passé. Il lui reste pourtant quelques souvenirs : la cathédrale Notre-Dame (XVIe-XVIIe s.), l'église Saint-Michel d'Ingouville, le Muséum d'histoire naturelle, le prieuré de Graville (XIe et XIIIe s.), de style roman, avec son musée d'archéologie, et le musée de l'Ancien-Havre. Ce dernier installé dans une vieille demeure normande du XVIIe siècle expose, outre des collections de faïences et de verreries, de nombreux documents illustrant l'histoire du Havre, depuis sa création au XVIe siècle.

Le Havre est en effet une ville relativement peu ancienne. Sans doute existait-il autrefois un modeste temple de marins, la chapelle Notre-Dame-de-Grâce, mais ce n'est qu'en 1513, sous Louis XII, qu'un port y fut établi. Ceux d'Harfleur et de Honfleur s'envasant, on choisit la situation du « Havre de grâce » pour créer un autre port. François Ier fit du Havre un grand port militaire et commercial, baptisé Villefrançoise-de-Grâce. Il avait confié la réalisation du port au grand amiral Bonnivet et l'agencement de la ville à l'architecte

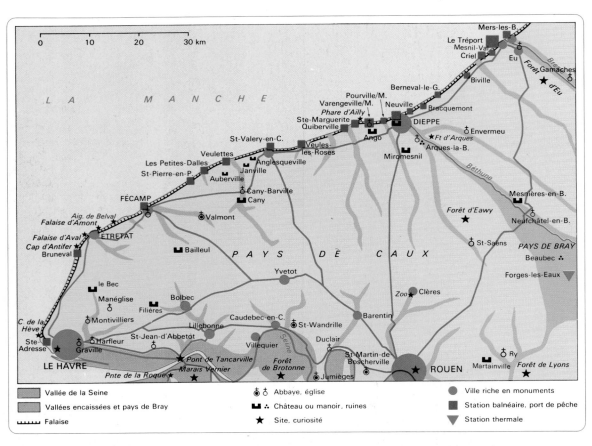

Légende de la carte :

- Vallée de la Seine
- Vallées encaissées et pays de Bray
- Falaise
- Abbaye, église
- Château ou manoir, ruines
- Site, curiosité
- Ville riche en monuments
- Station balnéaire, port de pêche
- Station thermale

à 260 000 t de port en lourd, le port du Havre est un vaste ensemble qui comporte :
— au long de la Seine, des installations pour le commerce et l'industrie, couvrant 12 000 ha dont 995 de bassins : presque 25 km de quais, 4 gares maritimes, 148 postes à quai, 590 000 m² de magasins et hangars, de grandes usines;
— des emplacements pour la réparation navale (7 formes de radoub, 5 postes de réparation à flot, etc.);
— plus loin au nord, le port du Havre-Antifer, qui pourra accueillir des pétroliers géants de 1 million de tonnes de port en lourd (actuellement, jusqu'à 540 000 t). Son chenal d'accès est large de 550 m. Au pied de la falaise, le port de service offre un plan d'eau de 8 ha, bordé par 35 ha de terre-pleins.

Au cours de la visite du port, on peut voir l'écluse François-Ier qui unit le bassin de marée aux bassins et canaux à niveau constant. Elle est la plus grande du monde avec ses 400,90 m de longueur, 67 m de largeur et 24 m de profondeur. ■

italien Belarmato. Les maîtres d'œuvre de la structure urbaine quadrillée d'aujourd'hui n'ont fait que respecter le tracé en damier du XVIe s.

Autrefois « souverain port de Normandie » auquel, dès la fin du XVe siècle, « tous les navyres faisant la pesche des morues aux terres neufves arrivaient », *Harfleur* est maintenant intégrée dans l'agglomération havraise. On peut y admirer le beau clocher (XVe s.), haut de 83 m, de l'église Saint-Martin.

« Tête de pont entre l'ancien et le nouveau continent » selon Gambetta (1881), « métropole de la mer » livrée depuis cinq siècles aux contacts avec les terres lointaines, Le Havre est l'avant-poste d'un pays et d'un peuple voués à l'aventure maritime, mais il ne faut pas aller bien loin pour retrouver vergers et herbages de la Haute-Normandie.

En terre cauchoise

Derrière le haut mur de craie de la Côte d'Albâtre, parfois presque hostile, le pays de Caux n'a rien de sévère. Son sol argileux et limoneux porte de vastes étendues de cultures (blé, maïs, betteraves, orge, avoine, lin, etc.) et des prairies où paissent les vaches. À peine accidenté, ce plateau fertile serait monotone n'étaient les riantes vallées aux pentes boisées, les bosquets et les rideaux d'arbres qui animent ses paysages.

L'habitat est très desserré sans être pour autant dispersé. Le village se compose de maisons distantes de 100 à 200 m. Pour s'abriter des vents de la mer, l'homme a imaginé la *masure*, sorte d'îlot de verdure entouré de « fossés », c'est-à-dire de levées de terre, plantées, selon leur largeur, d'une ou de plusieurs rangées d'arbres en quinconce (les hêtres ont remplacé chênes et ormes d'autrefois). De plan rectangulaire, la masure comporte un herbage, plus ou moins étendu, et un certain nombre de bâtiments semés parmi les pommiers : grange, pressoir, étable, bergerie avec un pigeonnier souvent pittoresque où se mêlent brique, silex et calcaire, et, évidemment, la maison d'habitation. Longue et basse, celle-ci est coiffée d'un toit à forte pente, jadis de chaume, maintenant d'ardoise ou de Fibrociment. Les murs s'ornent de pans de bois, entre lesquels le remplissage d'argile est badigeonné en blanc. Contre le pignon s'appuie un escalier menant

aux combles. À l'intérieur de la demeure, les pièces ne communiquent pas entre elles : chacune ouvre par porte et fenêtre sur la cour.

Ces masures ont survécu à l'évolution de l'agriculture, car celle-ci est pratiquée hors des fossés. Elles sont demeurées le centre de la vie familiale..., excepté lorsque, à cause de l'exode rural, elles sont transformées en résidences secondaires.

▲ *Pans de bois, toit de chaume et soubassement de brique : l'habitat traditionnel du pays de Caux (Bourg-Dun).*

Rouen
ville-musée de la Normandie

*M*utilée
par toutes les guerres
mais patiemment restaurée,
la cathédrale de Rouen
a mis plus de trois cents ans
à s'édifier.
L'art gothique
s'y présente
sous tous ses aspects,
de ses origines
encore imprégnées
de réminiscences romanes
jusqu'aux fantaisies
les plus échevelées
du style flamboyant.

◄ *La dentelle de fonte
de la flèche centrale
domine toute la ville.
(Maisons anciennes,
rue Malpalu.)*

*La façade occidenta[le]
est ornée [de]
baies aveugle[s]
peuplées de statues
surmontées de gable[s]*

◄ *Une grosse tour-lanterne,
coiffée d'une flèche métallique
acérée comme un stylet,
couronne la croisée du transept.*

*Au fond de la cour des Libraires, ►
la façade du croisillon nord,
sa rose récemment rénovée
et son portail richement sculpté.*

Sous les hautes ogives
de la cathédrale de Rouen,
sculpteurs, tailleurs de pierre,
huchiers et maîtres verriers ont rivalisé de talent
pour honorer le Seigneur,
les saints du paradis
et les grands de ce monde.

▲ *Couronnés de chapiteaux ronds,
sobrement décorés de crochets,
les piliers cylindriques
qui entourent le chœur
sont du style gothique
le plus pur.*

*Dans la chapelle de la Vierge,
le tombeau des cardinaux d'Amboise,
chef-d'œuvre de la Renaissance,
est orné de nombreuses
figures symboliques
(ici, la Charité).*

◄ *Dans le croisillon gauche,
un gracieux escalier de pierre
conduit à l'ancienne
«librairie» des chanoines.*

Des emblèmes macabres ▲
décorent le colombage
des galeries
(aujourd'hui murées)
de l'aître Saint-Maclou.

Ancien charnier médiéval, ▶
l'aître Saint-Maclou
enfermait un cimetière
entre des bâtiments
servant d'ossuaire.

Sur le pilier
d'une maison du XVe siècle,
une charmante Vierge
en bois sculpté
(place du Lieutenant-Aubert). ▼

« Ville-musée », Rouen égrène, au long des rues tortueuses de ses vieux quartiers,
les maisons à pans de bois qui lui donnent tout son caractère
et où l'on découvre à chaque pas un nouveau détail naïf ou précieux.

Enrichie de bas-reliefs, ▲
de gables et de pinacles,
la cour de l'hôtel
de Bourgtheroulde
et sa tourelle d'escalier.

L'arcade finement sculptée ▶
du Gros-Horloge
enjambe une des rues
les plus animées
du vieux Rouen.

Une belle réalisation ▶▶
du style flamboyant :
la tour Couronnée
de l'église Saint-Ouen,
haute de 82 m.

Ancienne capitale
de la Normandie,
Rouen a su mettre
en valeur
les témoignages
de son passé,
et ses monuments,
par leur beauté,
leur nombre
et leur diversité,
en font une fascinante
ville d'art.

Double page suivante :
la cour intérieure
du palais de justice,
à l'exubérante
orfèvrerie de pierre.

▲ *Cathédrale de Rouen :*
prophètes, patriarches et
sibylles entourent
le portail central.

▲ *Cathédrale de Rouen :*
le déambulatoire a conservé
quelques vitraux du XIIIᵉ s.
(vitrail de saint Julien l'Hospitalier).

C'est enrichie des eaux de l'Andelle et de l'Eure que la Seine quitte le Vexin normand pour aborder le dernier tronçon de son long voyage vers la mer. Puissante et majestueuse, elle serpente entre les plateaux du pays de Caux, sur sa rive droite, et ceux du Roumois, sur sa rive gauche. Ses méandres se resserrent, s'amplifient, s'accentuent et se referment si bien que certains voient l'origine du nom latin *Sequana* dans le celte *squan*, qui signifie « tortueux ».

Ici ou là, le fleuve abandonne une île. Lentement, opiniâtrement, il a creusé la rive extérieure de ses boucles, où il laisse à nu la pierre blanche, encaissant sa vallée au pied de falaises verticales, couronnées de forteresses. Sur la rive opposée, il a déposé, au contraire, les cailloux et les sables arrachés ailleurs, sols souvent ingrats où prospère la forêt : forêts de Rouvray, de Roumare, de Mauny, de Jumièges ou de Brotonne, magnifiques écrins pour des abbayes bénédictines, mais aussi traditionnels refuges de brigands jusqu'au siècle dernier. En revanche, les dépôts récents sont fertiles et portent cultures ou grasses prairies, bordées de saules et suivies par de longs villages en ruban.

Rouen où la Seine devient mer

C'est au sommet de l'un des méandres de la Seine que Rouen, l'antique *Rotomagus* gallo-romaine, s'épanouit dans un amphithéâtre de blanches collines coiffées de forêts. Un site privilégié pour y bâtir une cité. Comme Bordeaux sur la Gironde, comme Nantes sur la Loire, Rouen est construite en fond d'estuaire, au premier point où nos ancêtres ont pu, grâce à la présence d'îles, édifier un pont sur le fleuve, et où la marée est encore assez sensible pour que les navires de mer remontent jusque-là.

« Si elle eût été plus proche de Paris, écrivait en 1655 Jacques Gonboust, ingénieur royal, elle eût perdu la commodité de la marée et ensuite le trafic de la mer, qui est son trésor; si elle eût été plus proche de la mer, elle en eût ressenti davantage les incommodités, qui sont les vents, les orages et les subits changements de temps qui rendent les lieux maritimes rudes et fâcheux. »

Capitale des Véliocasses, les Gaulois qui peuplaient le Vexin, puis des ducs de Normandie, descendants assagis des farouches envahisseurs normands, Rouen est aujourd'hui celle de la région de Haute-Normandie. Traditionnellement surnommée « la Ville-Musée », elle a beaucoup souffert de la dernière guerre, mais une restauration intelligente lui a permis de panser la plupart de ses plaies, et elle apparaît de nouveau telle que la décrivait Maupassant dans *Bel Ami*, « un peu noyée dans la brume matinale, avec des éclats de soleil sur

ses toits, et ses mille clochers légers, pointus ou trapus, frêles et travaillés comme des bijoux géants, ses tours carrées ou rondes coiffées de couronnes héraldiques, ses beffrois, ses clochetons, tout le peuple gothique des sommets d'église que dominait la flèche aiguë de la cathédrale ». Peu à peu, la ville gravit les fermes reliefs de la rive droite, que les petits vallons du Cailly et du Robec ont entaillés pour rejoindre le fleuve. La forêt recule et, déjà, les constructions atteignent le sommet des coteaux. Aux clochers de la vieille ville répondent, sur la rive gauche, les cheminées d'usines de Saint-Sever, les immeubles modernes comme la tour des Archives de la cité préfectorale et l'enchevêtrement désordonné des grues du port. L'urbanisation se développe même à un tel rythme que les Rouennais commencent à s'inquiéter : les pins de la forêt du Rouvray perdent leurs aiguilles, et les boulons de la flèche de la cathédrale sont rongés par l'acidité de l'air...

Une des plus belles cathédrales de France

De quelque côté que l'on arrive à Rouen, la flèche et les deux tours de la cathédrale Notre-Dame jaillissent au-dessus du chaos des toits de la vieille ville. On approche : elles disparaissent... mais, brusquement, au détour d'une rue, la cathédrale se dresse, étonnante de légèreté malgré ses proportions grandioses, magnifique en dépit de la variété de ses styles. Cette variété est due à l'échelonnement de la construction : les travaux, commencés au début du XIIIᵉ siècle après l'incendie qui ravagea la cathédrale romane (il en reste les fondations, une partie de la crypte, les deux portails latéraux de la façade occidentale et les trois premiers étages de la tour Saint-Romain), se poursuivirent jusqu'au XVIᵉ siècle. Par la suite, l'édifice subit d'autres incendies et fut très éprouvé par les bombardements de la dernière guerre.

La cathédrale est serrée de trop près par les constructions avoisinantes pour que l'on puisse l'appréhender dans sa totalité. De la rue des Bonnetiers, à l'est, on découvre l'étagement des absides et des absidioles du chevet, au-dessus du grand portail classique de l'Archevêché. Au débouché de la rue du Bac, le portail de la Calende, qui s'ouvre à l'extrémité du croisillon sud, domine le marché des fleurs de ses hautes statues et de ses scènes bibliques en bas relief. À l'opposé, sur la façade du croisillon nord, le portail des Libraires s'ouvre au fond de la cour des Libraires (relieurs et bouquinistes y tenaient jadis boutique à côté de la bibliothèque des chanoines), qui communique avec la rue par une clôture gothique à deux arcades jumelles surmontées d'une fine claire-voie de pierre. Au pied de ce portail, sous le très beau Jugement dernier du tympan, foisonne, dans

Faïences de Rouen

Du milieu du XVIe siècle à la fin du XVIIIe, la faïencerie rouennaise participe à la richesse de la ville, dont elle symbolise le luxe bourgeois.

Au début, elle produit surtout des pavés décoratifs et des carrelages inspirés au céramiste Masclou Abaquesne par le style italien. Feuillages, couronnes de laurier, têtes de guerriers ornent alors les dallages de maints châteaux : Écouen, Polisy, La Bastie d'Urfé. Après une éclipse d'un siècle, la faïencerie rouennaise est relancée, en 1644, par les Poterat, une dynastie d'artisans dont les décors blancs sur fond bleu, ou bleus sur fond blanc, imitent les faïences de Nevers et de Delft. Leurs œuvres sont rares et très belles.

Le véritable style rouennais se dégage dans la seconde partie du XVIIe siècle. Empruntant des motifs à la dentelle et à la broderie, aussi bien qu'à l'ébénisterie ou à la ferronnerie, la décoration converge vers le centre. Le style rayonnant, typique de Rouen, est né. Le bleu domine toujours, mais, peu à peu, d'autres couleurs apparaissent : le rouge d'abord, puis le jaune et le vert. Le motif central s'anime de scènes représentant souvent des jeux d'enfants, rondes et cueillettes de fleurs traitées en bleu sur fond jaune. Parfois, le centre se pare d'armoiries, de reproductions de gravures ou de chinoiseries. Dès la fin du XVIIe siècle, l'influence chinoise se manifeste d'ailleurs autant dans les paysages de pagodes que dans la façon de traiter les branches et les fleurs.

→

▲ *Exécutés « au grand feu »,
ces plats reflètent
le goût de l'époque Louis XV
pour les « chinoiseries ».*

*Cathédrale de Rouen :
l'immense façade
hérissée de clochetons*
▼ *et la tour de Beurre.*

les médaillons des soubassements, un fabuleux bestiaire, peuplé des fantaisies les plus délirantes de l'imagination médiévale : homme à tête de pourceau, pélican à queue de serpent et oreilles de lapin, bouc sonneur, truie qui a mal aux dents...

Hérissée de clochetons, de gables et de pinacles, décorée d'une profusion de statues, la façade occidentale paraît gigantesque. Cela tient autant à l'impossibilité de prendre du recul qu'à sa largeur exceptionnelle, encore accentuée par l'édification hors œuvre de la tour Saint-Romain et de la tour de Beurre. Les deux portails latéraux (les plus anciens puisqu'ils remontent à la fin du XIIe siècle) illustrent chacun la vie et le martyre du saint auquel il est consacré : à droite, la porte Saint-Étienne montre la lapidation du saint et le Christ en majesté; à gauche, la porte Saint-Jean raconte l'histoire de saint Jean-Baptiste jusqu'à sa décollation, avec la danse de Salomé et la remise du sinistre trophée à Hérodiade.

Plus tardif, le portail central fut reconstruit au XVIe siècle à la suite de fissures provoquées dans la façade par l'édification de l'énorme tour de Beurre. Flanqué de deux gros contreforts pyramidaux, couronné d'un immense gable dont la pointe se découpe sur la grande rose de pierre qui éclaire la nef, il est orné d'un Arbre de Jessé entouré de 356 statuettes religieuses ou profanes, nichées dans les voussures et les piédroits.

De part et d'autre de la façade, les deux tours, malgré leur différence d'âge (plus de trois siècles !) ont un « air de famille ». À gauche, la vieille tour Saint-Romain date du XIIe siècle, à l'exception du dernier étage, ajouté au XVe. Sa décoration s'enrichit au fil des étages : sobrement romane à la base, elle devient flamboyante au sommet. À droite, la tour de Beurre, commencée à la fin du XVe siècle et achevée vingt-deux ans plus tard, se termine, non par une flèche, mais par une couronne octogonale. Elle ressemble à la tour Saint-Romain par sa base carrée et la succession de ses étages, mais elle en diffère par la taille (77 m) et par la luxuriance de son ornementation. Les mauvais esprits prétendent qu'elle doit son nom à son aspect de pièce montée. En réalité, ce nom rappelle l'origine de son financement : elle fut édifiée avec le produit des dispenses accordées aux fidèles désireux de faire gras pendant le carême. Elle abrite un grand carillon de cinquante-cinq cloches.

Au-dessus de la tour-lanterne qui couronne la croisée du transept, la flèche, vertigineuse aiguille de fonte flanquée de clochetons de fer et de cuivre, prend son élan vers le ciel. Haute de 151 m, véritable axe de la ville, elle a remplacé, au XIXe siècle, une flèche de bois et de plomb incendiée par la foudre.

L'intérieur de la cathédrale est un majestueux vaisseau ogival qui n'a pas non plus été bâti d'un seul jet. Flanquée de bas-côtés élevés, eux-mêmes bordés de chapelles, la nef à onze travées s'étage sur

La faïencerie rouennaise connaît alors sa plus grande vogue, due sans doute à la qualité de sa facture, mais surtout aux difficultés du Trésor royal : Louis XIV fait fondre toutes ses pièces d'argenterie et toute sa vaisselle plate. Alors, écrit le duc de Saint-Simon, « tout ce qu'il y eut de grand et de considérable (entendez : la Cour) se mit en huit jours en faïence ». Aux services de table classiques s'ajoutent des pièces originales (aiguières en forme de casque, encriers et écritoires) ou particulières à la région (brocs à cidre portant les initiales et la date du mariage de deux jeunes gens). Vers 1750, le style « rocaille » prime, avec le décor « au carquois » et surtout le fameux décor « à la corne », où papillons, fleurs et oiseaux multicolores s'échappent d'une corne d'abondance. À partir de 1770, Rouen fabrique également de la faïence-porcelaine et imite avec bonheur la faïence de Strasbourg. Mais, en 1786, un traité de commerce autorise l'entrée en France des faïences anglaises. Celles-ci sont d'un prix si bas que la concurrence est impossible, et les fabriques normandes ferment l'une après l'autre.

Le *musée de Céramique*, provisoirement installé au musée des Beaux-Arts, permet de suivre l'histoire de cette faïence et de saisir ce qui la différencie des styles dont elle s'est inspirée : des séries de comparaison présentent de très beaux spécimens de diverses écoles de faïences, depuis les œuvres de Bernard Palissy jusqu'aux porcelaines chinoises, en passant par les grès flamands et les productions de Nevers et de Delft. ■

▲ *Dans le cadre verdoyant de la vallée de l'Andelle, la blancheur des ruines ogivales de l'abbaye de Fontaine-Guérard.*

Cathédrale de Rouen : le tombeau des cardinaux d'Amboise, joyau de la statuaire
▼ *Renaissance.*

quatre niveaux : les grandes arcades en tiers-point, portées par de fortes piles ceinturées de fines colonnettes, sont surmontées d'une rangée de larges baies (les tribunes n'ayant jamais été construites, ces baies ouvrent sous les voûtes des collatéraux), puis d'un triforium et enfin de fenêtres hautes.

Les bras du transept, de trois travées chacun, sont également bordés de bas-côtés, sur lesquels donnent, à l'est, deux grandes chapelles. Les arcades sont surmontées d'un étage d'arcatures aveugles et d'un étage de fenêtres qui, à chaque extrémité, est remplacé par une rose et une claire-voie. Dans le croisillon gauche, un gracieux escalier sculpté monte à la librairie. La croisée, de forme trapézoïdale, est encadrée par quatre énormes faisceaux de colonnes qui hissent à 51 m de hauteur la voûte d'ogives à huit compartiments de la tour-lanterne.

Le chœur du XIIIᵉ siècle, d'une grande pureté de style, est d'une émouvante simplicité. Formé de trois travées droites et d'un rond-point, il est séparé du déambulatoire par des colonnes rondes aux chapiteaux ornés de fleurs stylisées. Les stalles sont du XVᵉ siècle, comme les trois vitraux du fond.

Le déambulatoire et les trois chapelles rayonnantes contiennent des vitraux du XIIIᵉ siècle et des monuments funéraires, dont les deux plus beaux, datant de la Renaissance, sont situés dans la chapelle de la Vierge. La sépulture des cardinaux d'Amboise présente, sous un dais ouvragé, les statues agenouillées de Georges Iᵉʳ d'Amboise et de son neveu Georges II, entourées de nombreuses statuettes d'inspirations très diverses (vertus cardinales et théologales, saints, prélats, sibylles, prophètes et apôtres). Le tombeau de Louis de Brézé, soutenu par quatre cariatides, oppose, dans un contraste saisissant, le sénéchal de Normandie au faîte de sa gloire militaire, à cheval et armé de pied en cap, et le gisant en albâtre, sobrement sculpté dans le dramatique style médiéval, veillé par la Vierge Marie et par sa veuve éplorée, Diane de Poitiers. Sous le chœur, la crypte romane a conservé son autel et son puits à margelle où l'eau sourd depuis le XIᵉ siècle.

Perfection de l'art gothique, Saint-Ouen et Saint-Maclou

« Saint-Ouen est plus long et moins large que la cathédrale, et bien autrement beau », s'extasiait Stendhal dans *Mémoires d'un touriste*. Il se trompait sur la longueur (134 m contre 135 pour la cathédrale), mais il est indéniable que l'ancienne abbatiale Saint-Ouen est l'une des plus belles réalisations françaises du style gothique rayonnant. Construit à partir du XIVᵉ siècle, à l'emplacement d'une basilique romane dont il ne subsiste qu'une absidiole à deux étages, dite « tour aux Clercs », ce

En remontant l'Andelle

En amont d'Elbeuf, au confluent de l'Andelle et de la Seine, les *écluses d'Amfreville* séparent la sage Seine fluviale de la Seine maritime soumise à l'influence de la marée. Les deux écluses, longues de 220 m, voisinent avec un barrage au pied duquel la Seine vrombit avec une fougue qui ne lui est pas habituelle. Amfreville-sous-les-Monts doit la seconde partie de son nom à la *côte des Deux-Amants* qui domine le village. Au XIIᵉ siècle, Marie de France, l'une de nos premières femmes de lettres, a conté la triste histoire de Raoul et de Caliste : Rulphe, baron de Saint-Pierre, avait du mal à se séparer de sa fille Caliste, en âge de se marier. Il accepta finalement de la céder à celui qui serait assez fort pour gravir la colline en courant, la demoiselle sur le dos. Raoul tenta sa chance pour les beaux yeux de Caliste. Parvenu au sommet, il mourut d'épuisement, et la belle en fut si marrie qu'elle expira à son tour. Au point de vue des Deux-Amants, on oublie un peu la légende devant la beauté du vaste panorama où la Seine, se déployant en une large boucle, est rejointe par l'Andelle, puis par l'Eure.

En remontant la vallée de l'Andelle, où les amateurs viennent taquiner la truite et où les ruines de l'abbaye de Fontaine-Guérard composent un décor idéal pour les rêveries romantiques, on atteint la somptueuse *forêt de Lyons*. Couvrant plus de 10 600 ha de ses hautes futaies de hêtres, elle accompagne des vallonnements souvent accentués : ici, elle descend jusqu'au bruissement d'un clair ruisseau; là, elle remonte vers une butte dénudée; ailleurs, elle s'écarte pour faire place à une charmante clairière. Des arbres particulièrement vieux (plus de quatre siècles), particulièrement gros (plus de 5 m de tour) ou particulièrement grands (plus de 40 m de haut) jalonnent la promenade. De petites églises (à Beauficel-en-Lyons, à Rosay-sur-Lieure) recèlent de jolies vierges sculptées.

Au cœur de la hêtraie, l'accueillante bourgade de Lyons-la-Forêt garde le souvenir des ducs de Normandie qui venaient y chasser. Bâtie à flanc de coteau, la cité descend en pente douce vers la Lieure : ses maisons normandes, abondamment fleuries de géraniums et de rosiers grimpants, remontent

→

magnifique édifice est malheureusement déprécié par une triste façade du XIXᵉ siècle, flanquée de deux tours assez mesquines. Malgré la belle ordonnance du vaisseau, l'impressionnante régularité des arcs-boutants à double volée qui ceinturent son chevet et l'imposante tour-lanterne de 82 m qui surmonte la croisée (on l'appelle « tour Couronnée » parce que son sommet octogonal porte une couronne de pinacles), on considère généralement que seul l'intérieur de l'église, par son unité de style et par la perfection de ses proportions, mérite l'appellation de « chef-d'œuvre ».

Recherche de l'infini, ascension vers le ciel, le gothique le plus noble s'exprime dans la nef, largement éclairée par de hauts fenestrages et dont les colonnes jaillissent d'un seul élan jusqu'à la voûte. Sur les orgues monumentales, qui datent de 1630, des concerts réputés sont donnés les dimanches d'été. Des grilles en fer forgé, très ouvragées sans être surchargées, séparent la nef du chœur, garni de 76 stalles sculptées. Tout autour de celui-ci, les chapelles rayonnantes, doucement éclairées par des vitraux anciens, sont également isolées du déambulatoire par des grilles du XVIIIᵉ siècle dont la pureté rachète la sévérité.

Si c'est l'intérieur de Saint-Ouen que l'on admire, c'est l'extérieur de Saint-Maclou qui suscite tous les éloges. Commencée en 1436 à l'instigation du duc de Bedford, à l'époque où Rouen était anglaise, achevée en pleine Renaissance grâce aux libéralités des deux cardinaux d'Amboise, l'église constitue un remarquable exemple d'harmonie flamboyante. Même la flèche moderne, élevée en 1870, s'accorde avec la belle pyramide de pignons étagés, de pinacles et d'arcs-boutants de la façade ouest. Les cinq baies de son porche, surmontées de gables aigus, sont disposées en éventail pour épouser la courbe de la rue médiévale. Deux des trois portails sont célèbres par les vantaux Renaissance, dont on attribue une part à Jean Goujon. L'intérieur a été très éprouvé par les bombardements de 1944, mais l'escalier des orgues, somptueusement sculpté, a heureusement été préservé. Conçu pour le jubé, il s'allie bien, malgré son style flamboyant, avec les deux colonnes Renaissance, attribuées à Jean Goujon, qui soutiennent le buffet d'orgue.

Derrière l'église, la rue Martainville, bordée de belles maisons à pans de bois, conduit à l'*aître Saint-Maclou*. Occupé aujourd'hui par l'École des beaux-arts, l'aître (du latin *atrium*, cour intérieure) est l'un des très rares charniers que nous ait laissés le Moyen Âge. La cour rectangulaire, où se trouvait le cimetière, est entourée de bâtiments à pans de bois. Il s'agissait jadis de galeries couvertes semblables à celles d'un cloître. Les fûts des colonnes représentaient la Danse macabre, mais les sculptures ont été mutilées pendant les guerres de Religion. Entre les colonnes, sur les poutres horizontales, également sculptées, têtes de mort et symboles mortuaires forment une frise

Rouen : des grilles en fer forgé soulignent l'envolée des piliers qui ceinturent le chœur
▼ *de l'église Saint-Ouen.*

au XVIIIᵉ siècle, ou même au XVIIᵉ, comme celle où naquit le poète Benserade. La halle occupe le centre de la place. Son énorme charpente s'accorde à merveille avec les colombages des maisons qui l'entourent, si naturels dans ce pays forestier.

Intelligemment restauré par des Parisiens (Lyons-la-Forêt est à 100 km de la capitale), l'ensemble dégage une rusticité de bon aloi. ■

Souvenirs littéraires en basse Seine

Au milieu du paysage chaque jour plus industrialisé de la basse Seine subsistent quelques îlots du passé, où le temps semble s'être arrêté lors du passage d'un poète ou d'un écrivain célèbre.

À *Petit-Couronne*, la « maison des champs » de la famille Corneille fut achetée en 1608 par le père de Pierre et de Thomas afin que ses enfants profitent du bon air de la campagne. Enclavé aujourd'hui dans la banlieue industrielle de Rouen, le manoir Pierre-Corneille garde cependant son charme d'antan, avec ses pans de bois, ses lucarnes pointues, son puits, son verger planté de pommiers, et surtout son vieux fournil au fond du jardin. L'intérieur, devenu musée, conserve, outre des souvenirs personnels de Pierre Corneille, un riche mobilier et des faïences datant de l'époque où le dramaturge écrivait *le Cid*.

Tout près de là, à *Croisset*, la maison où Flaubert, vêtu d'un peignoir blanc et marchant à grands pas, « gueulait » ses phrases avant de

les écrire, a fait place à une usine, mais il reste un petit pavillon Louis XV, à volets verts et balcon en fer forgé, et l'allée de tilleuls chère au romancier borde toujours la Seine. De l'autre côté de la forêt de Roumare, à *Quevillon*, le château de la Rivière-Bourdet (XVIIᵉ s.) demeure hanté par le souvenir de Voltaire, qui y écrivit une partie de la *Henriade*.

C'est au creux du méandre de *La Bouille* que naquit le romancier Hector Malot, et c'est aux portes de Rouen, à *Bonsecours*, que repose le poète José Maria de Heredia.

Mais c'est le souvenir de la mort tragique de Léopoldine Hugo, à *Villequier*, qui a sans doute marqué le plus fortement la basse vallée de la Seine. Après la noyade de sa fille et de son gendre Charles Vacquerie, Victor Hugo écrivit quelques-unes

▲ *Des statues flamandes du XVIIᵉ siè d'inspiration mythologique, enrichissent la façade (rebâtie) de l'hôtel d'Étancourt.*

*Rouen :
un porche arrondi, à cinq baies
aux gables aigus,
précède la façade triangulaire
▼ de l'église Saint-Maclou.*

surprenante. Au-dessus s'étendaient des greniers où les restes des défunts étaient entassés après un bref séjour dans la terre consacrée du cimetière. Cet usage s'est perdu au XVIIᵉ siècle, et des fenêtres ont transformé galeries et greniers en locaux fermés. L'ensemble, avec sa curieuse décoration de crânes, de squelettes, de cercueils, de sabliers et de croix funéraires, dégage une impression étrange.

Sur les pas de Jeanne d'Arc

Port actif, centre de l'industrie drapière, Rouen était, au Moyen Âge, une ville opulente, tirant une bonne partie de ses ressources du commerce avec l'Angleterre. La guerre de Cent Ans n'arrangea pas ses affaires. Assiégée par ses anciens clients en 1418, elle dut capituler après six mois de résistance héroïque. Bien qu'ils aient occupé la ville pendant trente ans, les Anglais ont laissé peu de souvenirs architecturaux de leur passage (le « vieux palais » qu'ils avaient édifié à l'ouest de la cité fut démantelé lors de la Révolution), mais, pour les Rouennais, cette période reste marquée par le procès et le supplice de Jeanne d'Arc en 1431.

Sur la place du Vieux-Marché, la très sobre statue de Jeanne, toute droite au milieu des flammes, est de Réal del Sarte. L'endroit du bûcher est marqué par cinq pavés en croix, et des lignes de pierre blanche indiquent l'emplacement des tribunes occupées par les juges. Sur le côté sud de la place, un musée de cire retrace les principaux épisodes de la vie de Jeanne d'Arc; l'évocation est complétée, dans une crypte du XVᵉ siècle, par des livres, des estampes et des documents consacrés à la jeune Lorraine. La *tour de Jeanne-d'Arc*, un gros donjon rond, fendu d'étroites et rares meurtrières, est le seul vestige du château élevé par Philippe Auguste au XIIIᵉ siècle : dans la salle basse, voûtée d'ogives, où l'accusée comparut devant ses juges, on a réuni quelques pièces rappelant la captivité et le procès. Si le peuple de Rouen ne vit Jeanne d'Arc que deux fois — lorsqu'elle se rendit, pour son abjuration, au cimetière Saint-Ouen et lorsqu'elle fut conduite au bûcher —, il lui demeure cependant attaché et, tous les ans, le dimanche le plus proche du 30 mai, la fête de Jeanne d'Arc perpétue la mémoire de la jeune martyre.

En 1449, après l'entrée de Charles VII, l'essor de Rouen reprit avec vigueur, comme en témoignent la « vieille maison de la rue Saint-Romain » et nombre d'autres que l'on découvre dans la vieille ville. Le *beffroi* gothique est un peu plus ancien : il a succédé en 1389 à une tour démolie sept ans plus tôt par Charles VI parce que les deux cloches qu'elle abritait avaient donné le signal d'un soulèvement populaire; aujourd'hui, la « Rouvelle » s'est tue, mais la « Cache-Ribaud » sonne encore un couvre-feu symbolique à 9 heures du soir.

des pages les plus poignantes des *Contemplations*. Dans la maison des Vacquerie, transformée en musée Victor-Hugo, on peut admirer, dans le cadre de l'époque, une magnifique collection de dessins du poète. Près de la vieille église, les tombes des familles Hugo et Vacquerie se trouvent réunies. ■

Le parc naturel régional de Brotonne

Créé en 1974, le parc couvre 40 000 ha et englobe 35 communes, réparties sur les deux rives des derniers méandres de la Seine. Centré sur la forêt de Brotonne, il s'étend, au nord et à l'est, sur une partie du pays de Caux, avec Caudebec-en-Caux, Villequier et les célèbres abbayes de Saint-Wandrille

et de Jumièges, empiète, au sud, sur le Roumois, et enferme, à l'ouest, le Marais Vernier. Refusant d'être confondu avec la forêt qui lui a donné son nom et se défendant d'être une réserve ou une opération touristique, le parc se veut simple territoire rural réservé à la population locale. Cela ne l'empêche pas d'accueillir tous les visiteurs, et le développement des gîtes ruraux figure en bonne place dans son programme.

Moyen de découverte du milieu, centre de loisirs éducatifs et de sports de plein air, « laboratoire » de recherche, le parc possède — ou possédera bientôt — tous les équipements souhaitables : maison des métiers de Bourneville, centres de découverte de la nature (Saint-Thurieu et Louvetot), base de plein air et de loisirs de Jumièges-Le

Mesnil, maison de la pomme à Sainte-Opportune-la-Mare, pavillon de la photographie à Saint-Nicolas-de-Bliquetuit.

Étant réparti sur plusieurs régions naturelles, le parc offre des paysages variés. Dans l'avant-dernière boucle de la Seine, la forêt de Brotonne étend ses moutonnements couverts de pinèdes et de hautes futaies de hêtres et de chênes. Ses 6 800 ha sont sillonnés de sentiers balisés. Partant du Rond Victor ou du Rond de Nagu, promeneurs, randonneurs, chercheurs de champignons, botanistes en herbe, chasseurs et cavaliers ont toute la place voulue pour s'adonner à leur distraction favorite. Les amateurs de curiosités naturelles y trouvent quelques spécimens végétaux remarquables : le « chêne à la Cuve » doit son nom au bassin de 7 m de tour formé par

À ceux auxquels 163 marches ne font pas peur, le sommet du beffroi offre un magnifique panorama sur la ville.

Monument vedette de Rouen, dont il est un peu l'emblème, le *Gros-Horloge*, construit en 1389 par Jehan de Felains, a déménagé du beffroi pour s'encastrer somptueusement dans le pavillon Renaissance que les Rouennais ont bâti pour lui en 1525, au-dessus de la rue qui relie la place du Vieux-Marché à celle de la Cathédrale. L'arche en anse de panier est dominée, sur chacune de ses faces, par un cadran de plomb doré, richement ornementé de figures mythologiques, où tourne une aiguille unique terminée par un mouton d'argent. Une sphère indique les phases de la Lune, et chaque jour, à midi, apparaît dans un voyant un animal symbolique : dimanche, le lion; lundi, l'écrevisse... Sur le côté de l'arcade, une belle fontaine Louis XV est dédiée aux amours de la nymphe Aréthuse et du fleuve Alphée, symbolisant la Seine.

Un palais consacré à la justice

À l'époque de la Renaissance, entre la guerre de Cent Ans et les guerres de Religion, Rouen connut un essor commercial dont bénéficia l'architecture civile et religieuse. Elle profita également des largesses d'un mécène, Georges d'Amboise, cardinal de Rouen et ministre de Louis XII : ayant accompagné le roi en Italie, il fut séduit par le style italien et l'introduisit en Normandie.

Travaillé par ce ferment méditerranéen, l'art gothique finissant a produit quelques chefs-d'œuvre. Le palais de justice de Rouen, bien que très remanié et plusieurs fois restauré, en est un. Pinacles, clochetons et gables étonnamment ouvragés sont peuplés de gargouilles et de statuettes représentant soldats, princes, religieux et religieuses. On ne sait par quel miracle l'ensemble dégage malgré tout une impression d'équilibre et d'élégance, et reste harmonieux malgré les surcharges. Édifié à l'aube du XVIe siècle pour abriter l'Échiquier de Normandie, cour de justice itinérante devenue sédentaire, parlement de Normandie sous François Ier, le « Parlouër aux Bourgeois » où plaida Corneille offre à l'esprit chicanier des Normands un cadre à la mesure de sa réputation.

Entre la cathédrale et la Seine, devant la vieille halle aux Toiles, la Renaissance, débarrassée de toute influence gothique, a édifié la curieuse pyramide de la *Fierte* : cinq niveaux d'arches de plus en plus étroites, colonnes corinthiennes et frontons grecs. La tradition voulait que, le jour de l'Ascension, le chapitre de Rouen graciât un condamné à mort. Le condamné absous venait en procession, chargé de la fierte (châsse) de saint Romain, patron de la ville, et la présentait à la foule. C'est pour que celle-ci ne perde rien du spectacle que fut élevé le

Rouen :
une élégante fontaine Louis XV,
un minuscule pavillon Renaissance
et un sévère beffroi gothique
▼ *flanquent le Gros-Horloge.*

▲ *À l'écart du bourg,*
l'église de Lyons-la-Forêt,
ses trois nefs
et son clocher de bois
habillé d'ardoises.

cinq troncs issus d'une même souche; le « hêtre de la Houssaye » mesure 5,50 m de circonférence et près de 35 m de haut.

À la lisière orientale de la forêt, dans les tourbières marécageuses d'Heurteauville, croissent des plantes étranges : osmonde royale (fougère de plus de 2 m de haut), myrica aux feuilles balsamiques. Près de la vieille église de Bouquetot, à la lisière sud du parc, une grille préserve des déprédations une aubépine géante, âgée de six siècles.

Au débouché d'une des rares routes qui traversent la forêt, La Haye-de-Routot est moins connue pour son église romane que pour les deux énormes ifs (14 et 15 m de tour) de son cimetière; vieux de plus de 1 300 ans, ils abritent l'un une chapelle, l'autre un oratoire. Tous les ans, le 16 juillet, le « feu Saint-Clair » attire de nombreux touristes. Dès potron-minet, les habitants élèvent une pyramide de 8 à 10 m avec des rondins de bois mis à sécher un an à l'avance. Vers 10 heures, le brasier est allumé et les flammes montent très haut dans le ciel. Le feu calmé, les paysans retirent du bûcher des brandons qui protégeront leurs maisons de l'incendie pendant l'année.

Dans l'ultime boucle de la Seine, le *Marais Vernier* occupe le creux d'un ancien méandre. Avant le XVIIe siècle, les grandes marées d'équinoxe submergeaient encore ces terres basses. Henri IV fit venir de Hollande des spécialistes des polders, qui construisirent la « digue des Hollandais ». Cette entreprise d'assèchement fut poursuivie et développée jusqu'au XXe siècle, afin

monument. Cette pieuse coutume se maintint jusqu'à la Révolution.

Bâti par un conseiller de l'Échiquier au début du XVIe siècle, l'*hôtel de Bourgtheroulde* (prononcer « Bourtroude ») symbolise bien la transition entre le style gothique et la Renaissance. Un passage voûté, surmonté d'un blason, donne accès à la cour intérieure. Au fond, les hautes fenêtres à meneaux sont couronnées de pignons ouvragés et de pinacles gothiques. Parmi les sculptures, on reconnaît le porc-épic de Louis XII et la salamandre de François Ier. À gauche de la sobre tourelle d'angle à pans coupés, une galerie typiquement Renaissance ouvre de larges baies en anse de panier. Les deux frises qui l'ornent contribuent à la renommée de l'hôtel : celle du haut décrit les *Triomphes de Pétrarque;* sur celle du bas, on reconnaît, malgré les sévices du temps, la célèbre entrevue du Camp du Drap d'or.

Les verrières de Saint-Godard et de Saint-Patrice témoignent brillamment du passage de la Renaissance à Rouen. Sur les premières, un Arbre de Jessé, réalisé en 1506 par Arnoult de Nimègue, voisine avec une vie de la Vierge. Sur les secondes figurent un grand nombre de saints, fixés en plein mouvement dans la lumière.

Essor et opulence

Le XVIIe et le XVIIIe siècle virent se développer la prospérité économique de Rouen. Fondée d'abord sur l'industrie du drap, puis sur le tissage, la teinture et l'impression du coton, cette opulence se manifesta par la prolifération de petits hôtels particuliers et de belles maisons à colombage. Demeures, placettes et carrefours se parèrent de belles ferronneries et de gracieuses fontaines. La faïence rouennaise commença par s'étaler somptueusement sur les dressoirs des maisons bourgeoises avant de garnir les nobles vaisseliers du royaume.

Parmi les maisons à colombage qui sont un des charmes de la ville, celle où Pierre Corneille naquit en 1606 est l'une des plus connues. Dans *Mémoires d'un touriste,* Stendhal en donne une heureuse description : « Elle est en bois, et le premier étage avance de deux pieds sur le rez-de-chaussée... [elle] a un petit second, un moindre troisième, et un quatrième de la dernière exiguïté. » Convertie en musée, la maison abrite des meubles, des tableaux et des estampes auprès desquels le dramaturge vécut pendant cinquante-six ans, ainsi que son acte de baptême, des lettres autographes, des éditions originales de ses œuvres...

De jolis portails de pierre, surmontés de frontons arrondis richement sculptés, des portes cochères monumentales, des pilastres à bossages élégamment décorés, des alignements d'étroites façades dont les poutres verticales accentuent encore la hauteur jalonnent les vieilles rues, notamment la rue Damiette, la rue d'Amiens, la rue Martainville et la rue du Gros-Horloge.

La *chapelle du lycée Corneille,* ancien collège des Jésuites, fut édifiée au début du XVIIe siècle, suivant un large plan où l'espace n'est pas mesuré. De vastes tribunes fermées à balustrades de pierre, des voûtes rondes et nervurées, des pilastres carrés à chapiteau corinthien composent un cadre sérieux pour les cérémonies religieuses. Dans les principaux édifices de la ville, la prospérité classique a apporté sa contribution ornementale : grilles en fer forgé et stalles de l'église Saint-Ouen, fonts baptismaux en marbre de Saint-Maclou, retable en bois sculpté de la chapelle de la Vierge à la cathédrale.

À l'hôtel-Dieu, le pavillon du XVIIIe siècle qui abrite le *musée Flaubert* fut le logement de fonction du père de l'écrivain, chirurgien de l'hôpital. C'est là que le jeune Gustave épiait le passage des cadavres que l'on portait en salle de dissection. Dans sa chambre natale, des collections de pots de pharmacie, de vieux outils chirurgicaux et des documents évoquant de grands chirurgiens des siècles passés forment un original petit musée d'histoire de la médecine.

Infiniment plus vaste, le *musée des Beaux-Arts* permet de parcourir des siècles de peinture européenne. Des œuvres maîtresses des écoles italienne, espagnole, hollandaise et flamande complètent la magnifique collection française, qui réserve une place privilégiée à Géricault, natif de Rouen.

Quant au *musée Le Secq des Tournelles,* qui a élu domicile dans une église gothique désaffectée, il présente une collection de ferronneries d'une richesse exceptionnelle : près de 15 000 pièces, allant du minuscule casse-noisettes à la monumentale grille d'autel de l'abbaye d'Ourscamps, et de la préhistoire aux temps modernes.

Promenades autour de Rouen

De part et d'autre de Rouen, la Seine a sculpté, dans la rive extérieure de ses boucles, de magnifiques promontoires de craie, au sommet desquels on accède par de petits sentiers vigoureux. La très belle route dite *Corniche de Rouen,* qui escalade la colline de Bonsecours à l'est de la ville, grimpe jusqu'à la *côte Sainte-Catherine,* un éperon crayeux qui domine à pic la vallée largement ouverte de la Seine et offre un panorama admirable.

En remontant le fleuve vers l'amont, un chemin qui s'insinue dans les fourrés de la falaise permet de gagner les *roches de Saint-Adrien,* belvédère dénudé sur la vallée de la Seine. Au XIIIe siècle, une chapelle fut creusée dans la roche crayeuse, au-dessus des maisons de Saint-Adrien-du-Becquet. Outre les amateurs de botanique, qui

de transformer une zone insalubre de près de 2 000 ha en un immense quadrillage de pâtures, de champs et de jardins maraîchers. Un réseau de canaux régulièrement espacés draine les eaux vers le lac poissonneux de la Grande Mare, d'où le canal de Saint-Aubin les évacue vers la Seine. Un système à clapet empêche la haute mer d'inonder le marais en remontant le canal, et une vanne règle, en fonction de la saison, la hauteur de l'eau dans la Grande Mare et les fossés de drainage.

Au sud, les coteaux qui dominent le Marais Vernier forment un demi-cercle presque parfait. Au-dessus de Saint-Opportune-la-Mare et à la pointe de Bouquelon, ils offrent des vues panoramiques sur le marais. À l'est, cet amphithéâtre remonte vers le nord jusqu'à Quillebeuf; à l'ouest, il rejoint la Risle et se relève en

falaise pour former l'éperon terminal de la pointe de la Roque. De ce promontoire, on découvre, d'un côté, la silhouette gigantesque du pont de Tancarville et, de l'autre, tout l'estuaire de la Seine jusqu'au Havre et au cap de la Hève. ∎

Il suffit de prendre le bac

La rive droite ou la rive gauche? Vous hésitez, car chacune a ses charmes, et vous savez que, en aval de Rouen, il n'y a plus de pont jusqu'à Tancarville. Alors, prenez le bac : vous pourrez ainsi lier alternativement connaissance avec chacune des deux rives et, surtout, vous connaîtrez mieux la Seine. Découverts au rythme lent du bateau, les paysages vous laisseront un souvenir impérissable.

———→

▲ *Les roches d'Orival bordent la vallée de la Seine d'un blanc rempart d'architectures fantomatiques.*

Vue de la côte des Deux-Amants, la sereine majesté
▼ *des «boucles» de la Seine.*

viennent au printemps débusquer hélianthème, pastel des teinturiers ou bois de Sainte-Lucie, Saint-Adrien attire les filles à marier : pour trouver un époux, elles piquent une aiguille dans l'orteil de la statue du saint; leurs vœux exaucés, elles reviennent à Saint-Adrien faire leur banquet de noces.

Plus loin vers l'amont, mais sur la rive gauche, le village d'Orival enfouit ses maisons dans les arbres et niche dans le roc sa petite église du XVe siècle, en partie troglodytique. À flanc de coteau, au-dessus des toits, un sentier conduit aux *roches d'Orival*. La tradition populaire a donné des noms aux formes étranges, percées de cavernes, que l'érosion a dégagées du calcaire : roche Foulon, roche Fouet, roche du Pignon semblable à une tourelle d'angle haute de

60 m. Ici et là, un détour du sentier découvre la vue sur la Seine.

À deux pas d'Orival, *Elbeuf*, dont le célèbre drap fit longtemps la rivale de Rouen, est logée au creux d'un amphithéâtre de falaises empanachées de forêts. Ville plus industrielle que touristique, elle possède deux belles églises : Saint-Étienne, de style gothique flamboyant, qui a de beaux vitraux du XVIe siècle; Saint-Jean, reconstruite au XVIIe siècle, qui a la particularité d'unir une décoration classique à une architecture typiquement gothique sans qu'aucun témoignage de la Renaissance ne vienne assurer un semblant de la transition entre les deux styles.

En aval de Rouen, *Canteleu* dresse son église gothique et son château Louis XIII à l'orée de la *forêt de Roumare*, dont les 4 000 ha

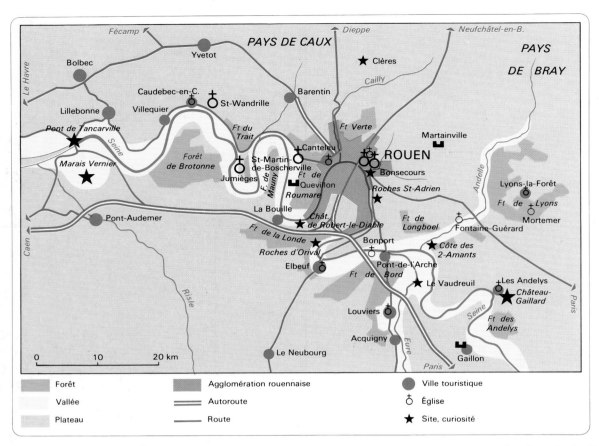

Une dizaine de bacs traversent le fleuve entre Rouen et Caudebec. Certains sont gratuits — contrairement au magistral pont de Tancarville — d'autres (ceux de La Bouille, de Duclair, de La Mailleraye-sur-Seine et de Caudebec-en-Caux) sont payants pour les véhicules immatriculés ailleurs qu'en Seine-Maritime. Deux fois par heure en moyenne, plus souvent aux époques d'affluence, un bac part pour l'autre rive.

À Dieppedalle-Croisset, on quitte l'agglomération rouennaise pour accoster aux portes de la forêt de Roumare, à deux pas du pavillon Flaubert. À Grand-Couronne, on prend le bac pour aller visiter le manoir Pierre-Corneille à Petit-Couronne. À La Bouille, agréable étape, on subit, en atteignant le vieux port, la domination impressionnante de la forteresse de Robert le Diable. À Duclair, le bac atteint les vénérables tilleuls de l'ancien port au centre d'un aimable décor. Au Mesnil-sous-Jumièges et à Jumièges, de part et d'autre de la presqu'île, on met pied à terre pour se rendre à l'abbaye : la vision des ruines éclairées par le soleil se couchant au-dessus du fleuve est un spectacle qui ne s'oublie pas. Les bacs de Yainville, de La Mailleraye-sur-Seine et de Caudebec-en-Caux conduisent aux hêtres et aux chênes de la forêt de Brotonne. ■

emplissent le méandre suivant de la Seine. Au sommet de celui-ci, sur la rive gauche du fleuve, l'ancien port de *La Bouille* accueille sous ses grands peupliers et dans ses auberges les Rouennais en goguette. Au sommet de la falaise, le *château de Robert le Diable*, bâti par les premiers ducs de Normandie, surveille très loin la Seine depuis le XIe siècle. Démantelé au XVe siècle, il a été partiellement restauré. Ses souterrains et son donjon abritent aujourd'hui le musée des Vikings, où des figures de cire, un drakkar reconstitué et des dioramas évoquent l'épopée normande. Derrière le château, la *forêt de la Londe* couronne la falaise et s'étend sur plus de 2 000 ha. Peu de routes, mais des sentiers qui permettent d'admirer d'énormes hêtres, tels le Bel-Arsène, qui n'a pas moins de onze bras, et le hêtre à l'Image, qui a 3,60 m de tour. En lisière, le carrefour de la Maison-Brûlée évoque le souvenir des sinistres « chauffeurs » qui hantaient ces parages à la fin du XVIIIe siècle.

Ici commence le pays de Caux

Au nord-ouest de Rouen, le pays de Caux déploie ses grandes étendues fertiles, parsemées de bouquets d'arbres et coupées de vallées verdoyantes où se nichent de petites villes industrielles. Dans la vallée de l'Austreberthe, *Barentin* a bien mérité son surnom de « ville du musée dans la rue ». Plus de trois cents bustes et statues se dressent aux carrefours, sur les places et dans les squares. À l'entrée de la ville, une œuvre magistrale, *l'Homme qui marche* de Rodin, accueille le visiteur venant de Rouen. Dans le jardin public, Jeanniot, Lebourgeois, Hébert-Coeffin ont dispersé le long des allées qui un taureau, qui un aigle, qui un grand duc. Des artistes modernes ont orné l'église, mais aussi les rues, d'images de saints : sainte Thérèse, de Landowski; saint Georges, de Frémiet; saint Christophe, de Pryas; sainte Jeanne d'Arc et sainte Barbe, de Bourdelle. À la sortie de Barentin vers Le Havre, le chemin de fer franchit la vallée sur un impressionnant ouvrage de brique, un viaduc en courbe dû à l'ingénieur anglais Locke, dont la statue se dresse au pied des arches.

Aux sources de la Clérette, belles fontaines jaillies de la craie blanche, *Clères* est surtout connue par le parc zoologique installé sur le domaine de son château Renaissance (très restauré au XIXe s.). Les étangs, les pelouses, les arbres sont peuplés d'animaux exotiques

vivant en complète liberté. Antilopes, cerfs et kangourous traversent le parc en bondissant, tandis que deux cents couples de palmipèdes et d'échassiers (cygnes, canards, bernaches, grues, flamants roses) s'ébattent sur le lac, dont l'île sert de refuge aux gibbons. Dans le bourg, devant la vieille halle bizarrement charpentée, le musée de l'Automobile présente une collection de vieilles voitures, de motocyclettes, de moteurs et d'engins blindés.

En aval de Rouen, *Caudebec-en-Caux*, ancienne capitale du pays de Caux, occupe le sommet d'un autre méandre de la Seine. Autrefois, les grandes marées y attiraient une foule de curieux intéressés par le phénomène du mascaret. Le flux élevant progressivement le niveau du fleuve, celui-ci, étranglé entre des rives trop rapprochées, éprouvait des difficultés croissantes à s'écouler. Brusquement, le sens du courant s'inversait, un train d'ondes remontait vigoureusement vers l'amont, en formant d'énormes vagues qui éclaboussaient les badauds ravis. Depuis l'aménagement de la basse Seine, le phénomène s'est beaucoup atténué.

Caudebec mérite que l'on s'y arrête pour son église Notre-Dame. Bien que terminée à l'époque de la Renaissance, celle-ci est de style flamboyant, à l'exception de la galerie de cariatides et des deux lanternons qui dominent son portail central. Dépourvue de transept, elle est flanquée, sur toute sa longueur, d'arcs-boutants hérissés de pinacles. Le toit, surmonté d'une flèche métallique entre la nef et le chœur, est entouré d'une balustrade de pierre faite de lettres gothiques de 1 m de hauteur, composant des paroles du *Magnificat* et du *Salve Regina*. Les chapelles qui bordent l'abside sont curieusement chapeautées de hautes pyramides d'ardoises. Sur le flanc droit de l'édifice se dresse une tour de 54 m, couronnée d'une flèche octogonale ajourée comme une dentelle. Éclairée par de beaux vitraux du XVIe siècle, ceinturée par un élégant triforium, la nef est claire et harmonieuse. Statues et vitraux anciens ornent les chapelles latérales, et la chapelle de la Vierge, située derrière le maître-autel, possède en plus une extraordinaire clef pendante de plus de 4 m, sculptée dans un seul bloc de pierre et pesant 7 tonnes.

Sur le côté gauche de l'église, quelques maisons à pans de bois permettent d'imaginer ce qu'était la petite ville normande avant les bombardements de la dernière guerre. Le musée qui occupe la maison des Templiers, un très bel hôtel du XIIIe siècle, complète l'évocation de l'ancien Caudebec.

Index

Les lettres placées devant l'indication des pages renvoient aux chapitres suivants :

CHG (Les forteresses de la frontière normande)
MN (Les manoirs normands)
NMB (La Normandie des monts et des bois)
EAN (Églises et abbayes du pays normand)
MSM (Le Mont-Saint-Michel, poème de pierre de l'Occident)
CFN (De la Seine au Cotentin, Côte Fleurie et Côte de Nacre)
RC (Rivage du pays de Caux)
ROU (Rouen, ville-musée de la Normandie)

Les pages sont indiquées en **gras** lorsqu'il s'agit d'une illustration, en *italique* pour le renvoi à la carte.